KB096264

말은 필시 구업(口業)이고,
글은 '글빚'으로 남는다.
삭여낼 업과 감당해야 할 빚을 저울질하며
다시 침묵을 향해 돌아앉는다.

말과 침묵

글 김소일

프롤로그

말과 침묵 사이에서

언어는 원초적으로 패배의 운명을 지고 태어난다. 진실은 늘 말과 글의 경계 너머에 있다. 언어는 진리의 언저리를 안타깝게 맴돌 뿐이다. 한 조각 진실을 담고 있을 때조차도 언어는 역부족이다. 하물며 진실의 그림자조차 담지 못한 언어는 얼마나 많던가. 말은 진실에 닿지 못하고, 글은 삶을 감당하지 못한다. 말이 세상을 속이고, 글이 사람을 홀린다. 말은 소음으로 퍼지고, 글은 공해로 쌓인다.

어쩌다 보니 말과 글을 다루며 살았다. 기사를 쓰고, 논평을 하고, 칼럼을 담당했다. 신문 방송에 내놓은 글은 대체로 생명이 짧다. 당대의 소란과 소음이 소거되고 나면 공허한 울림만 남는다. 세월을 이겨내고 살아남는 글은 드물다. 빛바랜 칼럼은 공감도 공명도 낳기 어렵다.

돌이켜보니 감사한 날들이었다. 부족한 안목으로 5년 동안 고정 칼럼을 맡았다. 신앙의 눈으로 세상을 보며 기도와 묵상의 마음을 담았다. 그 칼럼의 문패가 「말과 침묵」이었다. 넘치는 기회를 준 가톨릭평화신문에 감사드린다. 비루한 원고를 버리지 못하고 뒤늦게 책으로 엮는다. 여전히 다스리지 못한 허세와 욕심의 소산 같아 부끄럽다.

글의 주제에 따라 1, 2, 3부로 묶었으나 그 경계가 분명하지는 않다. 1부는 대림과 성탄, 사순, 위령 등 전례 주기에 따른 묵상의 글이다. 2부는 신앙과 영성의 여러 주제를 자유롭게 다룬 글을 모았다. 3부는 세상사에 대한 오지랖이라 할 수 있다. 구체적인 사건과 논란을 다루면서도 적절한 거리를 유지한 채 가톨릭의 시각을 담으려고 노력했다.

말의 고향은 침묵이다. 글의 소임은 진리와 진실이다. 본향으로 회귀하지 못한 언어는 세상에 잔해를 남긴다. 그래서 말은 필시 구업(口業)이고, 글은 '글빚'으로 남는다. 삭여낼 업과 감당해야 할 빚을 저울질하며 다시 침묵을 향해 돌아앉는다.

2024.3.25. 김 소 일

목차

프롤로그_ 4

첫째 묶음 새해는 오지 않는다_ 8

새해는 오지 않는다 / 말과 침묵 사이 /
부활의 봄 / 오늘이 은총입니다 /
영혼의 휴식, 영혼의 충전 / 바람 속의 숨결 /
가을날의 기노 / 성 베네딕토의 숲 /
노숙자로 오시는 예수 / 삶의 바로 곁에 죽음이 있다 /
저의 제물은 찢어진 마음뿐 / 삶에 감사합니다 /
우주에는 달력이 없다 / 사순의 강을 건너며 /
이제와 저희 죽을 때에 / 이 땅의 가난한 동방박사들 /
흐르는 강물처럼

둘째 묶음 메시아는 오지 않는다_ 78

지난 여름은 위대했습니다 / 저 거룩한 수도원 /
공상에서 묵상으로 / 죽음에 바치는 헌사 /
뒷담화 참회록 / 면류관을 쓴 진실 /
우리는 무엇을 기다리는가 / 메시아는 오지 않는다 /
이삭을 주우러 멀리 갈 것 없다 / 침묵의 소리 /

빗소리 너머에서 듣다 / 잃어버린 시간을 찾아서/
코헬렛을 읽을 시간 / 비움과 버림 /
쇄신, 가난의 선물 / 조르주 르메트르의 하늘 /
슬퍼하는 사람은 행복하다 / 그분의 계획은 따로 있다

셋째 묶음 세상에 참 평화 없어라_ 152

돌아갈 수 있는 과거는 없다 /
그날 아무 말도 하지 않았다 / 세월호를 잊고 싶은 우리 /
지하철 정거장에서 / 고시촌의 밤하늘 /
영광과 좌절의 변주곡 / 그들만의 러브샷 /
거짓의 식탁 / 촛불의 미학 / 닭을 위한 진혼곡 /
카인의 후예 / 순명의 잔을 들고 /
시간은 공간보다 위대하다 / 세상에 참 평화 없어라 /
우리 곁의 이방인 / 전체는 부분의 합보다 크다 /
기생과 공생 / 때로는 위악이 선보다 아름답다

에필로그_ 226

첫째 묶음

새해는 오지 않는다

새해는 오지 않는다

해는 떠오르지 않았다. 동녘 하늘은 어둡고 칙칙했다. 황사와 운무 뒤쪽으로 붉은빛이 엷게 서렸다. 분명 해는 솟았겠지만, 일출의 순간은 모호했다. 힘차고 장엄한 해돋이는 없었다. 새해 소망을 품고 아차산에 올랐던 이들의 얼굴에 살짝 실망이 어렸다.

새해는 오지 않는다. 지구는 쉼 없이 태양의 주위를 돌 뿐, 그 궤도 어디에도 새로운 이정표는 없다. 굳이 찾자면 동지나 하지, 춘분이나 추분이 변곡점이다. 그마저도 이미 수십억 번 지나간 자리일 뿐 하늘 아래 새로운 날은 없다. 오늘은 어제의 연속일 뿐이며, 새해는 묵은해의 연장일 따름이다.

새날은 오지 않는다. '새 하늘과 새 땅'(2베드 3,13)은 그리 쉽게 열리지 않는다. "태양은 뜨고 지지만 떠올랐던 그 곳으로 서둘러 간다. 남쪽으로 불다 북쪽으로 도는 바람은 돌고 돌며 가지만 제자리로 되돌아온다. … 있던 것은 다시 있을 것이고 이루어진 것은 다시 이루어질 것이니 태양 아래 새로운 것이란 없다."(코헬 1,4-9)

쉽게 희망을 말하지 않으련다. 영혼 없는 덕담으로 희망은 오지 않는다. 새해가 되니 청년 백수의 고통이 사라지던가? 비정규직의 눈물이 마르던가? '희망퇴직'에서 '퇴직'은 빠지고 '희망'만 남던가? 헛된 희망을 버려야 한다. 값싼 위로에 눈물 흘려선 안 된다. 고통 없는 세상은 없나니, 차라리 고통 속으로 항해하리라. 고통이여, 뒤늦게 손 내미니, 이제 화해와 공존의 악수를 나누자. 가슴 속의 불안이여, 분노여, 좌절이여. 쫓아내려고만 애썼던 지난날의 과오를 용서해다오.

젊음이여, 시대를 통곡하는 청춘이여. 그대들에게 줄 희망의 단어가 내겐 없다. 차라리 스스로의 고통과 정면 승부하라. 수저론 따위의 자학 담론에 빠지지 말고, 오직 그대의 두 발로 시린 벌판에 서라. 열두 척의 배를 이끌고 명

량의 바다로 나설 때, 장군은 승리를 허언하지 않았다. 오직 죽음을 향해 나아갔을 뿐이다. 그대만의 배를 이끌고 그대의 바다로 가라.

그러므로 오라, 절망이여. 내 고통의 심장부로 오라. 너를 껴안고 밤새 울다 지쳐 잠들리니, 절망을 녹여낸 자리에 이슬처럼 고이는 희망이 아니라면 그 희망을 믿을 수 없다. 물리칠 수 없는 고통이라면 차라리 나를 활활 태우리라. 그 불꽃으로 단련된 희망만이 참된 구원을 약속할 것이다. 눈물로 씨 뿌리던 이들 환호하며 거두리니.(시편 126,5)

해는 떠오르지 않았다. 일출을 보지 못한 꼬마의 얼굴에 못내 아쉬움이 서렸다. 대학생인 듯한 언니가 달래듯 말했다. "구름 뒤에서라도 태양은 빛난단다." 운무 사이로 잠깐 해가 비치자 사람들은 '희망 풍선'을 날렸다. 새해 소망을 적은 쪽지를 돌돌 말아 풍선에 넣고 기도하듯 날렸다. 알록달록한 풍선이 떠오르자 분위기가 살아났다. 옆 사람과 악수를 나누며 덕담을 건넸다. "새해 복 많이 받으세요." "건강하세요." "평화를 빕니다."

내려가는 길, 초등학교 운동장에서 떡국을 먹었다. 누군가의 정성과 봉사가 담겼을 떡국이 따끈하게 몸을 데웠다. 그래, 이것이다. 희망은 나눔 속에 있다. 생면부지의 사람들이 만나는 이 베풂과 나눔의 잔치가 바로 희망이다. 산 위에서 보지 못한 희망이 산 아래 있구나. 모두가 해돋이 보러 정상에 오를 때 산 아래서 떡국을 준비한 사람들, 가장 따끈할 때 건네기 위해 자신의 '희망 풍선'은 잊은 사람들, 이들이 새해의 희망을 일굴 것이다. 새 해는 하늘에서 뜨지 않는다. 사람들의 마음속에서 떠오른다. 그렇다. 사랑만이 희망이다.

(2016.01.17)

말과 침묵 사이

태초에 침묵이 있었다. 하늘과 땅이 아직 꼴을 갖추지 못했을 때 어둠의 심연 위로 침묵만이 감돌았다. 그분께서 "빛이 생겨라." 하시자 빛이 생겼다. 이로써 세상이 시작되고 인간의 언어도 태어났다. 빛과 어둠, 낮과 밤, 하늘과 땅, 온갖 피조물을 가리키는 언어의 향연이 열렸다.

침묵은 언어보다 먼저 있었다. 언어는 인간에게 주어진 선물이었고, 침묵은 그분의 속성이었다. 언어는 침묵으로부터 왔지만, 침묵을 온전히 닮지 못했다. 침묵은 본질이고 언어는 표피였으니, 침묵이 품은 풍성한 의미를 전달하기에 언어는 턱없이 부족했다.

언어가 끝난 곳에서 진리가 시작된다. 진리는 언어 따위로는 표현하지 못한다. 태초의 신비를 찾는 사람은 언어를 버린다. 침묵 속의 관상을 통해 그분께 다가갈 뿐이다. 온전한 사랑과 참된 깨우침은 침묵으로만 다가설 수 있다.

언어는 소통의 수단이되 또한 소통을 방해한다. 진정한 소통은 언어 너머에 있다. 붓다는 수십 년 설법했지만, 어느 순간 언어를 내려놓고 꽃을 들었다. 지혜로운 제자는 미소로 깨달음을 얻었다. 언어가 막힌 곳에서 침묵이 길을 연다.

인간은 언어 이전에 침묵을 배웠다. 태중에서 감미로운 침묵을 먼저 받았다. 침묵은 사랑과 함께 왔고, 언어는 고통과 함께 열렸다. 언어가 청각을 두드릴 때, 침묵은 마음으로 다가왔다. 언어는 세상의 것이었고, 침묵은 영원으로 이어졌다.

언어가 트이기 전 아이는 침묵으로 말한다. 세상에 왔으되 눈빛으로 말한다. 세상의 언어에 익숙한 어른들은 그 영롱한 침묵의 언어를 이해하지 못한다. 오직 사랑 가득한 어미만이 순수의 언어를 알아듣는다.

자라면서 아이는 침묵을 잃고 언어를 얻는다. 영혼으로 나누던 소통의 세계가 닫히고, 언어에 의존하는 불완전한 세상이 열린다. 세상의 언어를 익히면서 저 높은 곳과의 소통 수단을 잃어버린다. 이제 힘겨운 노력 없이는 지혜의 샘물을 마실 수 없을 것이다.

슬기로운 이는 말과 침묵을 가린다. 향기로운 이는 말하기 전에 침묵한다. 아름다운 언어는 침묵으로부터 온다. 침묵이 깊을수록 말은 울림을 얻는다. 침묵에 발 담그지 못한 언어는 소음이 되어 떠돈다. 누구의 마음에도 스며들지 못한 채 허공을 휘돌다 스러진다.

말해야 할 때가 있고 침묵해야 할 때가 있다. "침묵을 지키면서 지혜로워 보이는 이가 있는가 하면, 말이 너무 많아 미움을 받는 이도 있다. 대답할 줄 몰라서 침묵을 지키는 이가 있는가 하면, 말할 때를 알고 있어서 침묵을 지키는 이도 있다. 지혜로운 사람은 때를 기다리며 침묵하지만, 허풍쟁이와 바보는 때를 놓친다."(집회 20,5-7)

언어의 시대이다. 침묵은 적고 언어는 넘친다. 말 잘하는 이들이 쏟아내는 온갖 말의 잔치가 펼쳐진다. 자기를 내세우고 남을 깎아내리는 언어의 가시가 화살이 되어 떠돈다. 침묵은 온유와 겸손을 낳지만, 오염된 언어는 오만과 독선을 흩뿌린다. 독을 품은 말은 방향을 잃고 부딪치다 결국 제 가슴에 꽂힌다. 기억하라. 침묵에 맛들인 이는 언어에 홀리지 않는다.

신앙인에게 지금은 언어를 접어야 할 때다. 이마에 재를 바르고 죽음을 생각한다. 침묵이 우리를 안내할 것이다. 저 멀리 다가올 부활의 아침을 위해, 침묵하라! 지금은 깊이 침잠해야 할 때다.

(2016.03.06)

부활의 봄

대지에 햇살이 가득하다. 꽃들이 앞다퉈 피어나고 새들은 창공을 날아오른다. 마른 나무에서 움이 트고 새순이 돋더니 어느새 저토록 화려한 꽃을 피웠다. 세한(歲寒) 속에 봄을 여는 매화는 바람결에 그윽한 향기를 흩는다. 병아리 솜털처럼 노란 산수유의 꽃망울은 한 무리 유치원생이다. 재잘거리며 손잡고 봄 소풍이라도 가는가. 검게 그을린 도심의 벚나무도 팝콘 같은 웃음을 터트린다. 이제 마을마다 복숭아꽃 살구꽃 피어나고 울긋불긋 꽃 대궐을 이룰 것이다.

봄의 절정에서 우리는 부활을 맞는다. 겨울을 이겨낸 봄처럼 그분께서 부활하셨다. 온갖 불신과 회의를 물리치고 죽음에서 일어나셨다. 의심 많은 제자를 부끄럽게 하면서, 골방에 숨은 그들을 다독이면서 그분은 오셨다. 어둠 속의 빛으로, 죽음을 물리친 생명으로, 절망을 삼킨 희망으로 다시 오셨다.

계절의 순환은 은총이고 축복이다. 다시 찾아와준 생명의 봄이 고맙지 않은가. 고목 둥치에서 솟아난 저 연한 꽃잎을 보라. 아스팔트를 뚫고 고개를 내미는 저 여린 새싹을 보라. 바람 한 점에도 하늘거리는 저 약한 생명의 어디에 저토록 강인한 힘이 숨어 있을까.

그분이 나타날 때까지 아무도 부활을 믿지 못했다. 제자들이 의심했듯이 우리 또한 그렇다. 그들은 못 자국을 보고 믿었으나 우리에겐 그마저도 없다. 과학과 이성이 신앙의 신비를 밀쳐내고 불온한 물음을 던진다. 누가 대답할 수 있을까. 손을 들어 꽃잎을 어루만진다.

'꽃이 피는 건 힘들어도 지는 건 잠깐이더라.' 바람에 상처받고 비에 얼룩지며 하롱하롱 떨어져 내린다. 꽃 진 자리에 잎이 돋고 산하는 초록으로 물들 것이다. 초록은 동맹군처럼 단 며칠 만에 대지를 점령한다. 곧 천둥 번개와 함께 무성한 여름이 찾아올 것이다.

우리의 신앙 또한 저리 여려서 흩날리는 꽃잎처럼 쉬이 지리니, 부활의 신비를 뒤로하고 이제 곧 방황과 혼돈에 빠져들리라. '진리의 산길'은 종종 어둡다. 머리 위론 '무지의 구름'이 드리웠고, 숲은 안개에 잠겼다. 나그네는 자주 길을 잃는다. 알 수 없는 두려움이 그를 에워싼다.

봄의 끝자락에서 새들은 알을 품어 새 생명을 키워낸다. 나비 번데기는 껍질을 벗고 화려한 날개를 퍼덕이며 날아오른다. 잠자리 애벌레는 제 몸을 녹여 투명한 날개를 만들고 첫 비상을 준비한다. 온 생명이 은빛 햇살을 받으며 간지러운 듯 소리친다. 대지에 퍼지는 생명의 부산한 약동, 저것은 창조의 신비를 노래하는 대자연의 장엄한 합창이다.

한 줄기 햇살이 안개를 헤집는다. 구름 사이로 빛이 쏟아져 내리며 숲을 비춘다. 바람이 안개를 몰아간다. 산길은 더 이상 어둡지 않다. 나그네는 불안과 회의를 떨치고 주위를 둘러본다. 풀과 나무가 깨어나 속삭이고, 들리지 않던 새소리가 들린다. 숲은 밝고 아늑하고, 마음엔 감사와 기쁨이 넘친다.

봄꽃과 함께 부활이 왔다. 대지의 봄을 여는 햇살처럼,

안개를 휘젓는 바람처럼 무상의 은총으로 왔다. 이제 다시 세상을 사랑할 수 있을 것 같다. 신발 끈을 고쳐 매고 산길을 다시 걷는다. 숲은 더 이상 고독하지 않다. 구름 덮인 하늘도, 침묵하는 풀과 나무도, 두려움에 떨게 했던 안개와 어둠마저도 그저 사랑의 다른 이름이었다. 우주에 신비가 가득한 이 봄날에, 알렐루야! 그분께서 참으로 부활하셨다.

(2016.04.03)

오늘이 은총입니다

시간이란 오묘한 무엇이다. 어디서 와서 어디로 가는지 우리는 모른다. 과거는 어디로 흘러가고 미래는 어디서 오는가. 오직 현재만을 살아가는 우리에겐 버거운 질문이다.

일찍이 아득한 창공을 바라보며 시간의 문제를 궁구한 교부가 있었다. 성 아우구스티누스다. 그는 「고백록」 제11권에서 본격적인 시간론을 펼친다. 알듯 말듯 한 시간의 신비를 앞에 놓고 그는 안타깝게 묻는다. "시간이란 무엇이오니까? 누가 이를 쉽고 간단하게 설명하겠습니까? 누구 있어 이를 생각으로 알아듣고 적절한 말로 표현할 수 있으오리까? 그럼에도 우리의 대화 가운데 시간처럼 예사롭고 알려진 것이 또 어디 있습니까?"(「고백록」 11,14)

교부를 괴롭힌 것은 그도 한때 빠져들었던 마니교도의 질문이었다. 그들은 천지창조를 부정하며 곤란한 질문을 던졌다. 천지가 어느 한 시점에 창조되었다면 그 창조 이전에 신은 무엇을 하고 있었단 말인가.

마니교도 이전에 그리스 철학자도 이렇게 물었다. "신들이 무수한 세기를 두고 잠만 자다가 왜 갑자기 세상을 건설하겠다고 나섰을까?" 이것은 창조론을 들고나온 그리스도인들을 괴롭힌 질문이었다. 천지는 시원이 없이 영원한 듯 보였으므로 답변은 쉽지 않았다. 궁색한 이들은 곧잘 이렇게 답하곤 했다. "그런 질문을 하는 사람을 위해 지옥을 만들고 계셨다."

교회사에 빛나는 탁월한 지성에게도 시간은 어려운 문제였다. 궁극의 진리를 처절하게 파고들었던 교부는 결국 이런 깨달음에 이른다. "모든 시간은 당신이 내신 것, 영겁 이전에 당신이 계시오니 시간이 없던 적에 어느 시간도 아니 있었나이다."(「고백록」 11,13) 그의 오도송은 시간조차 천지창조의 산물이라는 것이다. 창조 이전에는 시간마저 없었으니 '그때' 무엇을 했느냐는 질문 자체가 성립하지 않는다는 것이다.

이것은 오늘날의 과학이 도달한 시간 개념과 꼭 들어맞는다. 현대 우주론의 정설인 빅뱅이론은 시간이 빅뱅과 함께 시작되었다는데 의문을 달지 않는다. 태초의 대폭발은 공간의 팽창인 동시에 시간의 시원이다. 그러므로 시공은 서로 분리될 수 없다. 공간이 뒤틀린 곳에서는 시간도 일그러진다.

이제 이렇게 말하리라. 시간은 피조세계의 속성이니 창조주에겐 해당하지 않는다. 그분은 생성도 소멸도 없으니 과거도 미래도 없다. 오직 영원한 현재로 계실 뿐이다. 그분의 시간은 오지도 가지도 않는다. 찰나도 영원 같고 영원도 찰나 같다. '천 년도 당신 눈에는 지나간 어제'(시편 90,4)일 뿐이다.

피조물에겐 영원이란 존재하지 않는다. 시간은 창조와 함께 시작되어 세상 종말과 함께 소멸한다. 그것은 그분에게서 나서 그분께로 귀의한다.

인간의 시간은 미래에서 와서 과거로 흐르지 않는다. 켜켜이 쌓인 과거가 있고, 오려고 준비된 미래가 있는 게 아니다. 과거는 스쳐 가버린 시간이니 이미 그분의 품에서 소멸해 버렸다. 미래는 오지 않은 시간이니 아직 그 품에서 놓여나지 못했다. 우리에겐 순간순간 솟아나는 새로운 현재가 있을 뿐이다.

그러므로 오늘을 살아야 한다. 이미 소멸한 과거에 연연하지 않으리라. 불확실한 미래에 두려워 떨지도 않으리라. 오롯이 주어진 오늘을 충실하게 살리라.

2017년을 맞는다. 새롭게 주신 한 해 앞에 겸허하게 서 있다. 벌써 쉰 몇 번째 받는 선물이다. 누가 그분의 은총을 받은 적이 없다고 하는가. 바로 오늘이 축복이고 이 시간이 선물이다. 날마다 솟아오르는 은총의 기쁨을 살아야겠다.

(2017.01.01)

영혼의 휴식, 영혼의 충전

고대 로마의 선형적인 가정은 대략 6명의 노예를 거느렸다고 한다. 오늘날 현대인이 누리는 과학 문명의 혜택은 그보다 훨씬 크다. 세탁기와 전기밥솥만 해도 몇 사람 노예 몫을 해낸다. 자동차, 전화기, 컴퓨터, 엘리베이터 등 무수한 발명품이 다 그렇다. 어느 학자의 계산으로는 미국의 평균적인 가정은 무려 400명의 무생물 노예를 거느린 셈이다. 에너지 전문가도 비슷한 추정을 했다. 미국인 한 사람은 평균 174명의 가상 노예의 도움을 받는다.

그런데도 우리는 늘 시간이 부족하다. 고대 로마의 귀족보다 수십 배는 한가해야 할 텐데 현실은 정반대다. 어찌 된 일인지 더욱더 시간에 쫓기며 산다.

시간이 없다. 하루를 마감하며 온 가족이 모여 앉아 도란도란 대화를 나누기 어렵다. 아침에 말씀을 읽고 고요히 하루를 봉헌하지 못한다. 허겁지겁 시작된 하루는 늘 불규칙한 귀가로 끝난다. 이웃과 친교를 나눌 시간도 부족하다. 호숫가를 거닐며 시 한 편 떠올릴 여유, 가을 숲속에서 자연과 우주를 사색할 호사도 누릴 수 없다. 시간은 다 어디로 가버렸는가. 하루 24시간, 그 많은 시간은 다 어디에 있는가. 기계가 대신해 준 그 여분의 시간은 대체 어디로 사라져 버렸는가.

우리는 쉬어도 쉬지 못한다. 휴가는 휴가가 아니다. 가족과 함께 어디론가 떠나야 한다. 길은 막히고 차는 많다. 휴가지마다 사람들로 북적인다. 산에도 바다에도 계곡에도 이미 점령군으로 넘쳐난다. 저 무지막지한 소비와 거친 욕망의 배설과 한풀이하듯 쏟아내는 감정의 발산을 보라. 저들 대부분이 마치 전투에 나선 병사처럼 맹렬하다.

휴가의 일정은 빼곡하다. 오늘은 해변으로, 내일은 무슨 '파크'로, 올해는 동남아로, 내년엔 유럽으로 끊임없이 찾아 나선다. 어떻게 얻은 휴가인데 허투루 보내랴. 단 하루의 휴식도 아깝다. 무언가를 보아야 하고, 체험하고 즐겨야 한다. 여행하고 관광해야 한다. 그렇게 휴가를 마치고 돌아올 때쯤 종종 파김치처럼 늘어진다. 몸도 마음도 지쳤다. 이제 휴가로 지친 심신을 달래기 위한 또 한 번의 휴가가 필요해진다.

휴가란 쉬는 것이다. 열심히 일한 당신, 괜찮은가. 혹시 출세와 성공을 위해 쫓기듯이 살지는 않았는가. 어느 날 문득 우울하고 슬프지 않던가. 이따금 짜증이 차오르고 까닭 모를 분노가 치솟지 않던가. 멍하니 허공을 응시하다가 돌연 버럭 소리 지른 적은 없는가. 아픈 당신에겐 휴식이 필요하다.

벗이여. 휴가는 휴식이어야 한다. 일상의 속박에서 벗어나 또 다른 강박 속으로 들어가지 말아야 한다. 느긋하게 일어나 커피 한 잔으로 아침을 때우리라. 책과 음악 속에서 한껏 게으름을 피우다 낮잠도 좀 자리라. TV와 스마트폰을 끊고 온전히 나만의 세계에 머물리라.

휴가는 무엇보다 영혼의 충전이어야 한다. 휴대폰의 배터리처럼 우리에게도 충전이 필요하다. 우리는 한적한 곳에서 그분을 만나고, 그 은은한 에너지에 감전되어야 한다. 그분은 고독과 고요 속에서 충만한 기쁨으로 우리를 기다린다. 숲속 작은 길, 새벽안개, 풀잎에 맺힌 이슬과 스치는 바람의 모습으로 우리를 찾아온다.

"외딴 계곡들은 고요하고 아늑하며 시원하고 그늘져 신선한 물이 흘러넘칩니다. 그곳은 다채로운 식물과 아름다운 새소리로 인간의 감각에 깊은 휴식과 아늑함을 주고, 우리가 고독과 고요 안에서 기운을 북돋우고 휴식하도록 해줍니다. 이 계곡들은 제가 사랑하는 그분과 같습니다." (십자가의 요한 「영혼의 노래」)

(2017.08.13)

바람 속의 숨결

은총은 계절을 가리지 않지만, 특별히 요즘은 넘치도록 풍성하다. 성큼 다가온 초가을의 하늘과 햇살과 바람 속에는 피조세계를 향한 창조주의 사랑이 가득하다. 대지 위로 쏟아지는 저 무한정의 은총이여! 불어 오고 스쳐 가는 저 바람 속의 숨결이여. 대체 잘한 것이 무엇이라고 제게 이토록 넘치는 사랑을 주십니까. 미천하고 모나고 허물 많은 인간을 차별 없는 온유로 감싸주십니까. 찬미와 감사의 기도가 절로 나온다.

이런 날 책상 앞에 앉아있는 것은 불경이다. 그분께서는 우리를 일과 공부 따위로 옭아매기를 원하지 않으신다. 대자연 속에서 팔을 벌리고 우리를 부르신다. 책과 컴퓨터 앞에서 굴절된 세상을 배우지 말고, 직접 들려주는 생명의 말씀에 귀 기울이라고 초대하신다. 모자 하나 챙겨 들고 집을 나선다.

프란치스코 교황은 2015년 회칙 「찬미받으소서」를 반포하면서 해마다 9월 1일을 '피조물 보호를 위한 기도의 날'로 선포했다. 7월도, 8월도, 12월도 아닌 9월이다. 이토록 찬란한 날에 어찌 기도하지 않을 수 있으랴. 교황이 알려준 아름다운 기도가 '그리스도인들이 피조물과 함께 드리는 기도'이다. "하느님께서 창조하신 모든 존재에 대하여 저희가 찬미와 감사를 드리도록 일깨워 주소서."

배 밭을 비껴 숲길로 접어들었다. 숲은 그분을 가까이 느끼기에 가장 좋은 장소다. 일찍이 위대한 영성의 시인들이 저마다 숲을 사랑했다. 모세도, 엘리야도, 중세의 프란치스코 성인도 숲속에서 그분을 만났다. 흔히 자연을 '제2의 성경'이라고 했다. "우리 눈이 아직 어두워지지 않았을 때" 자연이라는 책이 인간에게 열려 있었다.(성 보나벤투라) 새들과 풀벌레가 그분의 말씀을 전하고, 바람이 일렁이며 그 사랑을 흩는다.

중턱에 오르니 저만치 수도원이 보인다. 저들이야말로

늘 그분을 찬미하는 이들이다. 존재의 이유가 찬미인 사람들, 그들이 있어 오늘 나의 기도가 조금 부족해도 삶은 위태로워지지 않는다. "보라, 얼마나 좋고 얼마나 즐거운가." (시편 133,1) 그들이 읊조리는 그레고리오 선율이 들리는 듯하다.

「찬미받으소서」가 처음 발표됐을 때 세상은 일컬어 '환경보호에 관한 회칙'이라 했다. 틀렸다. '보호'가 아니라 '찬미'다. 자연은 우리의 보호를 받아야 할 만큼 나약하지 않다. 그저 찬미하면 된다. 찬탄의 마음으로 대하면 된다. 피조물과 함께 그분을 찬양하고 경배하면 된다. 피조세계의 아름다움과 창조의 위대함을 함께 노래하면 된다.

우리는 대자연의 혜택을 무상으로 누리면서도 자주 그 은덕을 잊는다. 피조세계의 청지기 신분을 잊고 마냥 주인인 양 행세한다. 주제넘게 보호를 이야기한다. 그 오만과 교만이 파괴를 낳고 오염과 훼손을 일으킨다. 문제의 근원은 이것이다. 부족한 것은 보호가 아니라 찬미이다. '운동'이 아니라 '기도'이다.

어느덧 산마루에 이르렀다. 쏟아지는 햇살 속에서 하늘을 우러른다. 마음에 기쁨이 솟고 몸에 활력이 넘친다. 온

몸의 세포들이 환호하며 노래한다. 기쁨과 평화는 그분에게서 오는 것이니 이 또한 은총의 선물이 분명하다.

새들이 지저귀며 인사를 건넨다. 바람이 그분의 신비를 속삭이고 나무들 사이로 스쳐 간다. 온갖 피조물이 함께 찬미의 노래를 부른다. 용서와 사랑이 바람을 타고 흐르다 가슴으로 스민다. 아아, 이제 다시 세상을 사랑할 수 있을 것 같다. "성령께서는 저희 마음 안에 머무르시며 저희를 선으로 이끄시나이다. 찬미받으소서."

(2017.09.10)

가을날의 기도

이 가을 어니론가 사라지고 싶다. 이름 없는 나그네 되어 시골 들녘을 떠돌고 싶다. 논두렁과 고추밭 사이를 가로질러 산하의 가을 속으로 빠져들고 싶다. 세상은 나 없어도 무심하려니 나 또한 세상 걱정을 잠시 잊으리라. 일손 바쁜 어느 과수원에 가서 묻겠다. "혹시 수확할 것은 많은데 일꾼은 적지 않으신가요?" 그저 먹이고 재워준다면 기꺼이 한 달을 일 하리라. 햇볕 속에 영글어가는 저 은총의 열매를 가까이서 보리라.

가을에는 일하고 싶다. 자판을 두드리던 부끄러운 손으로 부드러운 흙을 만지며 가을걷이를 돕고 싶다. 부지런한 농부들 사이에서 잠시의 게으름이 용서받을 수 있다면 이따금 벌렁 누워 하늘을 보리라. 풍성한 결실을 선사한 햇살과 바람과 비를 찬미하라. 여름내 땀 흘려 키워온 투박한 손들에 감사하라. 저들과 더불어 둘러앉아 한 끼 밥을 나눌 수 있다면 어느 성찬인들 부러우랴. 뜨내기를 끼워준 그 인정에 감사하라. 왁자지껄한 웃음소리를 사랑하라.

대지의 가을이 깊어 간다. 아침저녁 서늘한 기운이 옷깃을 파고든다. 봄부터 아비처럼 작물을 돌본 농부는 이제 넉넉한 수확을 꿈꾼다. 땀 흘려 일한 이들이 맛난 밥을 먹을 자격이 있다. 땡볕에서 고생한 사람만이 가을의 서늘함을 반길 수 있다. 에어컨의 냉기 속에서 여름내 건강한 땀 한번 제대로 흘려보지 못한 사람은 가련하다. 계절의 순환에서 은총을 느끼지 못하리라. 노동에서 오는 피로감만이 감미로운 휴식을 가능하게 한다.

교회는 전통적으로 손노동에 특별한 가치를 부여한다. "네 손으로 벌어들인 것을 네가 먹으리니 너는 행복하여라."(시편 128,2) 일과 기도는 피조물의 소명인 동시에 창조주에 대한 경배가 된다. 일찍이 사막의 수도승들이 기도하며 일하는 수도문화를 일궜다. 그들은 "끊임없이 기도하라"(1테살 5,17)는 가르침을 실천하고자 했다. 기도를 침범

하지 않는 일, 늘 기도를 읊조리면서 할 수 있는 일, 그것은 손노동이 제격이었다.

거룩한 스승들이 노동을 찬미했다. 성 베네딕토는 한가함을 '영혼의 원수'로 경계했다. "자기 손으로 일해서 살아갈 때 진정한 수도승"이라 일렀다. 일과 기도의 안배를 강조하는 전통은 '기도하고 일하라'는 가르침을 낳았다. 성 프란치스코는 노동을 곧 은총으로 보았다. 영혼의 건강을 지켜주는 선물로 여겼다. "나는 손수 일하였고 또 일하기를 원하며 다른 모든 형제도 올바른 일에 종사하기를 간절히 바랍니다."

아직 늦지 않았다면 정원사가 되고 싶다. 나무를 가꾸고 물을 주며 햇빛과 바람 속에서 그분의 숨결을 느끼고 싶다. 나무를 바라보고 어루만지며 어느덧 나무의 노래를 들을 줄 아는 사람, 나무와 대화하듯 문득 내면에서 울려오는 어떤 소리에 귀 기울이는 사람이고 싶다. 키 큰 정원수와 키 작은 떨기나무, 향기로운 화초와 이름 모를 들꽃을 가리지 않으리라. 꽃이 화려하거나 열매가 풍요로운 나무, 잎이 무성하거나 낙엽이 아름다운 나무를 고루 돌보리라. 볕이 덜 드는 담장 밑의 덤불을 더 자주 살피고, 벌레 먹고 뒤틀린 가지는 어떻게든 치료해 내리라.

가을엔 꿈을 꾸고 싶다. 우주의 시계는 정오를 넘어 오후 3시에 와 있다. 내 삶 또한 그러하리니 노을이 물들기 전에 꿈을 찾아 나서야 하리. 삼종 소리가 들리면 잠시 고개를 숙이리라. 하루의 노동은 뻐근한 피로를 선사하리니, 묵주 몇 알 돌리다 금세 달콤한 잠으로 빠져들리라. 비오니 제 삶의 가을날에 겸허한 손노동을 허락하소서.

(2017.10.15)

성 베네딕토의 숲

오후의 산길이 호젓하다. 다들 내려오는 시간에 나는 오른다. 굳이 서두를 이유가 없다. 정상까지 갈 생각은 없다. 숲길을 걷는 것으로 족하다. 목표를 버리니 그제야 숲이 말문을 튼다.

젊은 날의 산은 내게 높이였고 속도였다. 암벽에 붙고 빙벽을 찔렀다. 불수도북(불암-수락-도봉-북한)을 하루에 주파하고 자신만만했다. 정상에선 늘 노래를 불렀다. "천왕봉아, 눈 떠라 내가 왔단다. 산중군자 포효하라 내가 왔단다." 그 시절 산은 도전이고 성취였다.

내 삶의 30대에 나는 '인생은 곧 일'이라고 생각했다. 일로 승부를 걸었고, 일의 결과로 평가받기를 원했다. 누구에게도 지기 싫었다. 날마다 벼리고 갈았다. 이따금 일이 아닌 인간관계로 살아가는 사람을 만났다. 치사한 편법으로 보였다. 되도록 말을 섞지 않았다. 그 시절 인생은 실력이고 능력이었다.

멈췄다 오르고 쉬었다 걷는다. 등산로에서 한참 벗어난 곳에 아늑한 공간이 있다. '성 베네딕토의 숲'이다. 수도원이 내려다뵈는 이곳을 나는 그렇게 부른다. 오후의 햇볕이 마지막 온기를 전한다. 달궈진 바위는 아직 따듯하다. 등을 붙이고 누우면 까마귀 울음마저 정겹다. 저 새는 독이 든 빵을 물어 나르던 수비아코의 까마귀를 알고 있을까.

인생의 40대에 나는 세상에 좌절했다. 세상은 공정하지 않았다. 능력보다 관계가 중요했다. 편법이 쉽게 노력을 앞질렀다. 서 있을 자리를 찾을 수 없었다. 분노를 품은 채 마음을 닫았다. 상처 입은 짐승처럼 세상을 피했다.

그즈음 산이 말을 걸어왔다. 더는 노래하지 않으니 비로소 산의 노래가 들렸다. 산은 누군가의 울음을 들려줬다. 어느 날 성 베네딕토의 숲에서 그를 만났다. 초라한 사내였다. 조연의 능력도 없으면서 주연을 탐냈다. 내면의 욕망을 솔직히 인정할 줄도 몰랐다. 뒤틀린 자아를 가식과 허위로 감싼 채 교만으로 자신을 위로했다. 세상보다 진부하면서 오히려 세상을 탓했다. 그 사내가 나였다. 부둥켜안고 오래 울었다.

지천명을 넘기고서야 뒤늦게 깨달았다. 그 잘난 능력과 실력은 하찮았다. 세상에 도움이 되지도 않았다. 교만한 자의 능력은 종종 세상을 해치는 독이었다. 필요한 것은 부족함이었다. 부족한 자의 겸손이 세상을 아름답게 했다.

가을 숲은 빠르게 옷을 갈아입는다. 지난주엔 노랗고 빨갛더니 어느새 누런 갈잎이 주종이다. 반쯤 잎을 떨어낸 나무가 겨울 채비를 서두른다. 계절의 순환 앞에 자연은 겸허하다. 황홀한 단풍마저 쉬이 내려놓는다. 움켜쥔 풍요로는 겨울을 건널 수 없음을 저들은 안다.

우수수 잎이 진다. 바람이 가지를 흔들며 속삭였다. 세상은 관계의 조화일 뿐이다. 낙엽이 저희끼리 부대끼며 소리쳤다. 관계는 편법이 아니다. 세상살이의 본질이다. 숲이 천천히 등을 쓸어내렸다. 겸손하라. 손을 내밀어 도움을 청하라. 어울려 사랑하라.

성 베네딕토의 숲에는 도토리나무가 많다. 굴참나무, 갈참나무, 졸참나무, 신갈나무, 떡갈나무, 상수리나무가 지천이다. 단풍만큼 화려하지 않고 은행만큼 찬란하지 않다. 그래도 저 참나무 군단이 빚어내는 수수한 빛이 가을 산을 점령한다. 스러져가는 햇빛 속에서 연녹색 잎이 은은하다. 짧은 가을을 아쉬워하지 않고 미련 없이 갈색으로 돌아간다. 단풍도 은행도 갈잎도 마침내 흙의 색깔이다.

숲에 어스름이 내린다. 바위는 이미 차갑게 식었다. 이제 서걱거리는 인간의 세상으로 돌아가야 한다. 나는 머리에 흙을 한 줌 끼얹고 숲길을 걸어 나왔다.

(2017.11.12)

노숙자로 오시는 예수

“반니절쯤 지나자 어떤 사람이 내게 와서 말했습니다. ‘중립을 지켜야 하니 그것을 떼는 것이 좋지 않겠습니까.’” 2014년 8월 한국을 방문한 프란치스코 교황은 대전에서 세월호 참사 유가족을 만났다. 그리고 노란 추모 리본을 선물 받았다. 교황은 방한 기간 내내 가슴에서 리본을 떼지 않았다. 귀국 비행기 안에서 어느 기자가 물었다. “그런 행동이 정치적으로 이용될 수 있다고 생각하지 않나요.” 교황의 답변은 명료했다. “인간의 고통 앞에서 중립을 지킬 수는 없습니다.”

교황의 첫 해외 방문은 브라질이었다. 그곳에서 마약 소굴로 이름난 바르깅야 빈민촌을 찾아갔다. 그날은 비가 내렸다. 교황은 우산도 마다한 채 차에서 내려 거리를 걸었다. 대낮에 경찰도 꺼린다는 그곳에서 청년들을 껴안고 말했다. "여러분은 혼자가 아닙니다. 여러분 곁에 교회가 있습니다. 교황이 여러분과 함께 있습니다." 그날 가난한 이들의 얼굴에 눈물과 빗물이 섞여 흘렀다.

로힝야는 슬픈 이름이다. 불교 국가인 미얀마에서 '인종 청소' 논란을 낳은 이슬람 소수 민족이다. 미얀마 군부는 그들의 존재를 인정하지 않는다. '로힝야'라는 명칭 사용도 사실상 금지돼 있다. 프란치스코 교황의 방문을 앞두고 현지 가톨릭교회가 건의했다고 한다. 로힝야를 직접 언급하는 것은 피해 달라는 요청이었다. 자칫 분란을 키워 사태를 악화시킬까 염려했을 것이다. 교황은 방글라데시에서 로힝야 난민을 직접 만났다. 그리고 말했다. "오늘날 신의 존재는 곧 로힝야라 불립니다." "당신들을 박해한 이들의 이름으로, 세계의 무관심에 대해 용서를 청합니다."

거리 벤치 위에 누군가 누워있다. 낡은 담요 한 장으로 온몸을 감쌌다. 얼굴까지 덮어썼지만, 발목이 삐죽 나왔다. 발등의 상처가 예사롭지 않다. 사람들은 그제야 알아차리고 흠칫 놀란다. 티모시 슈말츠의 청동 조각 '노숙자 예수'다. 예수를 노숙자로 표현한 이 조각은 논란을 낳았다. 인간에게 은총을 베푸는 구세주를 오히려 동정의 대상으로 묘사했다는 것이다. 예수를 모욕했다는 불평도 나왔다. 미국과 캐나다의 유명 성당이 퇴짜를 놓았다. 프란치스코 교황이 그 논란을 잠재웠다. 조각상을 축복하고 바티칸 근처에 설치하도록 주선했다. 그곳은 어느 겨울 한 노숙 여인이 얼어 죽은 자리였다.

미국은 자본주의 문명을 꽃피운 나라다. 교황은 2015년 미국을 방문했다. 의회 연설을 마치고 인근의 한 성당을 찾았다. 그곳에서 노숙자와 저소득층 4백여 명을 만났다. 그들과 점심 한 끼를 나누며 말했다. "하느님의 아들도 이 세상에 올 때 집 없는 사람이었습니다."

다시 대림이다. 하필 이 추운 겨울에 그분은 오시나 보다. 문득 궁금해진다. 오늘 이 시대에 오시는 예수는 어떤 모습일까. 우리는 노숙자 예수를 받아들일 수 있을까. 이런저런 이유로 그분의 오심을 말리고 있지는 않은가. "중립을 지키셔야 합니다." "그곳은 위험해요. 가지 마세요." "언급하지 마세요. 사태를 악화시킬 거예요." "그런 모습은 안 됩니다. 신성모독이에요."

그 모든 만류를 뿌리치고 그분은 오실까. 어쩌면 그분은 이미 우리 곁에 와 계실지 모른다. 팽목항에서 울고 있던 이들은 그분을 만났을까. 바르깅야의 빈민촌에서 눈물 흘린 이들은 그분을 느꼈을 것이다. 로힝야 난민은 자신들이 버림받은 신의 현존임을 어렵게 깨달을 것이다. 우리는 고통과 절망 속으로 오신 그분을 외면한 채 자꾸만 새로 오십사고 구유를 꾸민다.

(2017.12.10)

삶의 바로 곁에 죽음이 있다

누군가는 거짓말이라고 할지 모른다. 바닷가에서 휴가를 즐기던 사람들이 어느 한순간 감쪽같이 사라질 수 있을까. 2004년 12월 26일 동남아시아의 여러 해변은 인파로 북적였다. 따뜻한 남국에서 크리스마스 연휴를 보내러 온 관광객들은 저마다 최고의 하루를 맞고 있었다. 파도를 타거나 일광욕을 즐기던 사람들, 파라솔 아래서 사랑을 속삭이던 연인들, 아침 식사를 끝내고 느긋하게 커피를 즐기던 가족들, 그들 모두가 눈 깜짝할 사이에 거짓말처럼 사라졌다. 그날 인도양에서 발생한 거대한 지진해일이 14개 나라의 해안을 덮쳤다. 무려 23만 명이 목숨을 잃었다. 집채만 한 파도를 발견한 사람들이 아우성치다 스러지기까지 수십 초밖에 걸리지 않았다. 삶의 절정에서 죽음의 소용돌이로 빨려드는 시간은 그토록 짧았다.

죽음은 삶과 함께 있다. 삶의 바로 곁에 죽음이 있다. 죽음이 우리를 삼키기까지 얼마쯤의 겨를이 허용될지 우리는 모른다. 삶과 죽음 사이에는 간발의 시차가 있을 뿐이다. 죽음은 그림자처럼 가까이 있다가 어느 순간 삶과 자리를 맞바꾼다. 때로는 격렬하게, 때로는 스미듯 고요하게.

죽음은 예고 없이 삶의 문을 두드린다. 바다에서, 목욕탕에서, 병원에서 갑작스레 손을 내민다. 친구들과 웃으며 수학여행을 떠난 아이가 그 길로 돌아오지 못한다. 용돈이라도 벌겠다던 착한 딸은 면접을 보러 갔다가 불길에 휩싸인다. 살려고 입원한 병원에서 침대에 묶인 채 저승길에 들어선다.

죽음이 스쳐 간 자리엔 비통한 울음이 남는다. 자식을 잃은 어미는 몇 년째 망연히 바다를 바라본다. 아들이 보낸 마지막 문자에서 헤어나지 못한다. "말 못할까 봐 미리 보낸다, 사랑해." 예비 대학생을 잃은 부모는 대학이 보내준 입학 기념품을 끌어안고 통곡한다. 퇴원 당일 노모를 잃은 자식은 때늦은 회한에 굵은 눈물을 흘린다.

우리는 정녕 살아있는가. 아침에 정겨운 인사를 나눈 가족을 저녁에 다시 만날 수 있을까. 오늘 잠들면서 내일 아침 깨어날 수 있다는 믿음은 타당한가. 약속된 것은 아무것도 없다.

삶과 죽음은 반쯤 공존한다. 우리가 삶의 환희를 구가하는 바로 그 순간에도 죽음은 어깨동무를 한 채 우리 곁을 걷고 있다. 허락된 삶은 단지 오늘 이 순간에 국한한다. 미래는 그저 몇 발짝만 떨어져 있어도 인간의 영역이 아니다. 그러므로 벗이여. 모든 헤어짐의 순간에 한 번 더 눈을 맞춰야 하리. 삶과 죽음이 엇갈리는 순간에 비로소 아쉬워하리니. 못다 한 사랑, 못 다 나눈 이별, 청하지 못한 화해, 베풀지 못한 용서를. 삶은 기약이 없고, 죽음은 곳곳에 있으니, 사랑하라, 미워할 시간이 없다. 분노도, 갈등도 오늘이 가기 전에 풀어야 한다. 내일은 영원히 없을지도 모른다.

삶은 곧 은총이다. 오늘이 바로 축복이다. 그러므로 평범한 일상에 감사하라. 아무 일 없음에 기뻐하라. 시간은 영원에서 솟아 영원으로 회귀한다. 과거는 그분의 품에서 소멸해 버렸고, 미래는 아직 놓여나지 못했다. 오로지 지금 이 순간만이 진실이니, 환한 미소로 오늘을 맞으라. 마주 앉은 벗에게 충실하라. 가버린 과거에 연연하지 말고, 불확실한 미래를 다짐하지 마라.

시작도 끝도 오직 그분의 섭리일 뿐이다. 허물 많은 우리는 임박한 죽음 앞에서 비로소 간절히 구원을 갈망한다. 죽음 앞에서 담담하려면 삶 속에서 늘 기도해야 한다. "이제와 저희 죽을 때에 저희 죄인을 위하여 빌어주소서. 아멘."

(2018.02.04)

저의 제물은 찢어진 마음뿐

리처드 도킨스는 저명한 과학자다. 생명의 본질과 진화를 유전자의 시각에서 바라본 탐구로 우리의 사유에 심오한 영향을 미쳤다. 『이기적 유전자』는 세기의 문제작이다. 이 책을 읽고 인생관 가치관 세계관이 바뀌었다는 사람이 많다.

도킨스는 도발적이다. 종종 격렬하고 신랄하다. 비타협적 견해를 호통치듯 설파한다. 그래서 조금 거북하고 불편해진다. 『만들어진 신』은 제목부터 그렇다. 선뜻 손이 가지 않는다. 오랫동안 마음의 숙제로 남겨뒀다. 그나마 허약한 신앙이 흔들릴까 두려웠다. 번역본이 나온 지 5년도 더 지나서야 책을 펼쳤다.

『만들어진 신』의 원제는 'The God Delusion'이다. '신앙은 망상'이라는 의미를 담고 있다. 망상은 헛되고 근거 없는 주관적 신념을 뜻한다. 의학적으로는 정신장애의 일종이다. 저자는 이 용어가 종교의 특성을 완벽하게 포착한다고 내세운다. 그는 종교를 정신 바이러스로 규정한다. 그 비합리성과 사회적 폐해를 공격적으로 역설한다.

역시나 뒷맛이 개운치 않다. 아무리 과학적이고 합리적인 주장이라도 못마땅하면 어쩔 수 없다. 도킨스를 반박할 견해는 없을까. 종교를 보는 다른 시각을 찾아 나섰다.

종교에 관한 과학의 견해는 크게 두 갈래로 나뉜다. 하나는 종교가 자연선택의 결과라는 것이다. 인류의 진화 과정에서 분명한 이점이 있었기 때문에 성립했다고 본다. 신의 존재를 믿는 개인이나 집단이 생존과 번식에 유리했다고 보는 견해다. 과학의 용어로는 '적응'이라고 한다.

다른 관점은 종교를 진화의 우연한 부산물로 본다. 종교적 행동은 그 자체로서 인류에게 필요했다기보다는 자연선택에 유리한 다른 특징에서 파생됐다는 주장이다. 즉 자연을 탐지하고 해석하고 추론하는 인지 기능의 발달이 낳은 덤이라는 뜻이다.

그러나 모든 이분법에는 맹점이 있다. 어떤 특징과 행동이 적응인지 부산물인지 가르기는 쉽지 않다. 현실적으로 거의 모든 인간 사회는 어떤 형태로든 반드시 종교를 가지고 있다. 그 발생과 성장에 관한 이론은 아직 더 많은 탐구가 필요하다.

종교는 공동체를 위해 존재한다. 한 개인으로 이뤄진 교회는 없다. 교회는 바로 공동체다. 따라서 종교의 가르침은 언제나 공동체의 선익, 즉 공동선을 지향한다. 종교는 그 사회의 존속과 번성에 필요한 가치를 강력히 지지한다. 종교는 바로 제도화한 도덕과 윤리다.

종교는 국가보다 오래됐고 민족보다 근원적이다. 인간의 내면 깊은 곳에 신앙 본능이 숨어있다. 일찍이 경찰도 학교도 재판관도 없던 시절에 종교가 그 역할을 했다. 수렵채집의 초기 인류는 종교를 통해 강력한 사회적 가치를 구현했다. 그런 구심점을 갖지 못한 사회는 모두 도태되어 사라졌다.

오늘날 종교는 언뜻 한 사회를 지탱하는 중심의 자리에서 빗겨선 듯하다. 권력과 물질, 돈과 쾌락의 세파에 휩쓸려 종종 휘청거린다. 그러나 혼란스러운 가치관이 난립할

수록 인류의 오랜 지혜와 성찰을 담은 종교의 역할은 소중해진다. 공동선의 가치는 공동체와 더불어 존속한다. 사랑과 자비, 청빈과 정결, 회개와 보속은 종교의 생명력이다.

사순의 한복판을 지나고 있다. 짙은 안개가 우리를 감싸고 흐른다. 여성 인권운동의 파문이 교회 안으로 번졌다. 부끄러운 욕망의 잔해 사이로 흐느낌이 번진다. 우리의 악행이 그를 찔렀고 우리의 죄악이 그를 짓밟았다. 거룩한 신성은 아직 우리 곁에 머물러 있을까. 신앙이 헛된 망상이 아니라면 지금은 함께 울어야 할 때다. "하느님, 내 제물은 찢어진 마음뿐, 찢어지고 터진 마음을 당신께서 얕보지 아니하시니."(시편 51,17)

(2018.03.11)

삶에 감사합니다

'그라시아스 아 라 비다(Gracias a la vida)'는 메르세데스 소사가 부른 노래 제목이다. 노랫말은 이렇게 펼쳐진다. "삶에 감사합니다. 내게 그토록 많은 것을 준 삶에. 두 눈을 주셨습니다. 흑과 백을 구분하고, 드높은 하늘에서 빛나는 별을 볼 수 있도록, 수많은 사람 가운데서 내 사랑하는 사람을 찾아내도록. 두 귀를 주셨습니다. 숱한 소리 속에서 사랑하는 이의 음성을 들을 수 있도록."

삶에 대한 감사는 고통의 절정에서 나온다. 이 노래를 부른 가수와 작곡자 모두 고단하고 힘든 삶을 살았다. 소사는 아르헨티나의 군부 독재에 저항하며 해외를 떠돌았다. 곡을 만든 비올레타 파라 역시 칠레의 민중 가수로 불행으로 얼룩진 삶이었다. 그리고 그 고통과 절망을 삶에 대한 감사로 노래했다. "삶은 내게 웃음을 주고 탄식을 주었습니다. 고통에서 행복을 찾아내도록."

천상병 시인은 평생 가난 속에 살았다. 오죽하면 '가난은 내 직업'이라고 했을까. 동가식서가숙하며 떠돌던 그가 어느 날부터 보이지 않았다. 주변 문인들은 객사라도 한 줄 알고 유고 시집을 발간했다. 뒤늦게 순진무구한 모습으로 그가 돌아왔다. 행려병자로 오인되어 1년여 동안 시립정신병원에 수용되어 있었다고 한다.

재기 넘치는 문학청년을 파괴한 것은 어이없게도 권력이었다. 동백림사건으로 그의 삶은 휴지처럼 구겨졌다. '아이론 밑 와이셔츠같이 당한 그날'의 흔적이 평생을 괴롭혔다. 그럼에도 그의 시는 어둡지 않다. 삶에 대한 원망은 그림자도 없다. 오히려 맑고 순하다. "오늘 아침을 다소 행복하다고 생각는 것은 / 한 잔 커피와 갑 속의 두둑한 담배 / 해장을 하고도 버스 값이 남았다는 것" 그의 시는 가난이 잉태한 절창이다. "나 하늘로 돌아가리라 / 아름다운 이 세상 소풍 끝내는 날 / 가서, 아름다웠더라고 말하리라."

고통은 삶을 파괴한다. 눈물과 탄식으로 흐느끼게 한다.

그러나 고통은 때로 인간의 영혼을 정화한다. 처절한 아픔과 깊은 슬픔은 영혼의 불순물을 태운다. 미움도 욕심도 고통 속에서 녹아내린다. 분노도 증오도 용서와 사랑으로 승화한다. 가난한 영혼은 슬픔과 고통 속에서 이슬처럼 영롱하게 빛난다.

은총은 충만한 행복으로만 오지 않는다. 은총은 종종 고통 속에 숨어서 온다. 우리는 은총과 고통을 구분할 능력이 없다. 불행인 줄 알고 몸부림쳤던 그 고통이 문득 은총이었음을 깨닫고 뒤늦게 눈물 흘린다. 삶은 그토록 신비롭다. 환희는 고통과, 고통은 영광과 맞물린다. 고난은 불행한 영혼을 구렁텅이에서 건져내 구원으로 이끈다.

위령성월이다. 세상을 떠난 이들의 영혼을 기억하고 기도하는 달이다. 더불어 언제 다가올지 모르는 죽음을 생각하며 겸허하게 고개를 숙인다.

죽음을 생각함은 또한 삶을 돌아봄이다. 감사할 줄 모르고 살아온 나날이었다. 눈물은 많았지만 속된 욕망의 좌절이었다. 절망 속에 탄식했지만 헛된 영광을 꿈꾸던 자의 교만이었다. 한 번도 이웃을 위해 울지 않았다. 그 아픔을 아파하지 않았고, 그 슬픔을 부둥켜안지 못했다. 때늦은 회한이 가슴에 스민다. 헐벗은 영혼은 간절히 용서와 자비를 구한다.

퇴색한 낙엽이 거리에 나뒹군다. 나무는 곱게 물든 단풍마저 내려놓고 겨울 채비를 서두른다. 우리도 저토록 초연하게 물러갈 수 있을까. 다만 삶에 감사할 뿐이다.

(2018.11.11)

우주에는 달력이 없다

달력은 날과 달, 요일을 기본 요소로 한다. 날은 지구의 자전이고, 한 달과 한 해는 지구의 공전 주기에서 온다. 자전과 공전은 그 비율이 정수로 딱 떨어지지 않는다. 그래서 달력과 천체 운행 사이에는 늘 오차가 생긴다. 현행 그레고리우스력은 오차가 심했던 율리우스력을 개정했지만, 여전히 사용에 불편한 점이 많다.

우선 한 달의 길이가 들쭉날쭉하다. 1분기, 상반기, 하반기의 길이도 서로 다르다. 그러니 각종 통계를 액면 그대로 활용할 수 없다. 요일도 제멋대로이다. 날짜와 요일 사이에 아무런 규칙성이 없다. 생일이나 국경일이 무슨 요일인지 알 수 없으니 장기계획을 세우기 어렵다. 모두가 불완전한 달력에서 오는 불편이다.

교회의 전례력도 어지러운 영향을 받는다. 성탄과 부활을 비롯한 각종 축일과 기념일을 제대로 예측할 수 없다. 요일에 맞추면 날짜가 달라지고, 날짜에 맞추면 요일이 달라진다. 교회 일치에도 영향을 미친다. 동방교회는 여전히 율리우스력을 고집하고 부활절도 달리 지낸다.

날과 달, 요일이 정확히 일치하는 달력은 없을까. 몇 가지 아이디어가 있다. 국제고정달력동맹이라는 단체가 제안한 달력이 대표적이다. 한 달을 28일, 정확히 4주로 설정해 요일 문제를 해결했다. 모든 달은 일요일에 시작해 토요일에 끝난다. 이렇게 하면 1년은 13개월, 364일이 된다. 평년에는 하루, 윤년에는 이틀이 남는다. 이날은 1년의 마지막 또는 중간에 넣되 요일을 지정하지 않는다. 일종의 보너스 휴일인 셈이다. 이 달력은 날짜만 알면 요일은 자동으로 결정된다. 생일이나 국경일의 요일도 미리 알 수 있다. 인쇄된 달력은 그리 필요하지 않다. 몇 년 후의 일정도 머릿속으로 계산이 가능하다. 다만 1년이 13개월이라는 점이 좀 걸린다.

또 다른 시도는 '세계력' 또는 '영구력'이다. 이 달력은

1년을 12달로 그대로 두되, 1분기를 정확히 91일로 통일시킨다. 한 달은 30일이 되고, 석 달에 한 번은 31일로 한다. 이렇게 하면 1년은 364일이 된다. 역시 하루 또는 이틀이 남으므로 요일이 없는 휴일로 둔다. 이 달력의 날짜와 요일은 분기 단위로 정확하게 반복된다.

달력 개혁은 쉬운 일이 아니다. 아무리 합리적인 달력을 만들어도 정서적 종교적 저항에 부딪힐 수 있다. 그레고리우스력은 1582년에 선포됐지만, 독일은 1700년, 영국은 1752년, 러시아는 1917년에야 이 달력을 받아들였다. 이제 달력 개혁은 유엔의 몫이다. 현재 유엔에 제출된 달력 개혁안은 백 개가 훨씬 넘는다고 한다.

달력은 전례와 신앙생활의 바탕이 된다. 따라서 교회도 달력 개혁 논의에 무심할 수 없다. 제2차 바티칸 공의회가 채택한 전례헌장에는 짧은 부록이 붙어있다. 「달력 개정에 관한 선언」이다. "거룩한 공의회는 국가 사회에 영구적 달력을 도입하려는 시도들을 반대하지 않는다."라고 했다. 다만 '요일이 없는 휴일'에는 분명한 거부를 표시했다. "주일과 함께 일곱 날로 구성된 주간을 지키고 보호하며, 주간 외에는 어느 날도 두지 않으며, 그리하여 주간들의 연속성이 온전히 보존되는 체계만을 교회는 반대하지 않는다."

새해를 맞으며 달력을 바라본다. 천체는 영원의 시간 속을 무심히 운행한다. 우주에는 달력이 없다. 인간이 허공에 선을 긋고 날을 셀 뿐이다. 순간을 사는 존재의 애처로운 숙명이다.

(2019.01.01)

사순의 강을 건너며

온통 낯 뜨거운 뉴스가 넘친다. TV 켜기가 두렵고 신문 보기가 민망하다. 돈과 권력이 뒤엉켜 몸을 비빈다. 탐욕과 쾌락이 부둥켜안고 흐느적거린다. 덮으려는 쪽과 막으려는 쪽이 물고 물린다. 분노하는 자와 부추기는 자가 바람을 휘젓고 불을 지핀다. 진실과 거짓, 소문과 추측이 허공을 떠돈다.

성은 아름답고 소중하다. 성은 사랑의 품에 안겨있을 때 밝고 따뜻하다. 성이 돈과 만나면 타락과 죄악을 잉태한다. 권력과 손잡으면 부패와 비리를 낳는다.

돈과 성과 권력이 만나 질펀한 술판을 벌였다. 마약과 폭력이 잔을 치켜들고 건배를 외친다. 접대와 상납, 뇌물과 향응, 무마와 은폐가 등장한다. 유명 연예인도 있고 현직 경찰도 있다. 고위 권력자도 있고 재벌가의 사람도 나온다. 사건은 여럿이어도 본질은 똑같다. 돈을 좇거나 권력을 탐한 이들이 어두운 조명 아래 비틀거린다. 욕망과 향락을 껴안고 휘청거리다 주저앉는다. "보라, 죄악을 잉태한 자가 재앙을 임신하여 거짓을 낳는구나."(시편 7,15)

진실이 안갯속에서 허우적거릴 때 소문은 화려한 춤사위를 펼친다. 불신이 인터넷을 달구고, 의혹은 휴대폰 속으로 스며든다. 무슨 리스트도 있고, 동영상도 나돈다.

차라리 외면하고 싶다. 눈과 귀를 막고 싶다. 부끄럽고 민망하다. 그래도 시선을 거두진 못한다. 호기심과 관음증을 자극한다. 그러다 다시 역겹다. 추하고 너절하다.

세상이 혼탁해도 버릴 순 없다. 우리가 그 안에 살기 때문이다. 감추려는 이, 퍼트리는 이, 낄낄거리며 즐기는 이, 모두 우리의 모습이다. 소돔과 고모라는 신화 속의 도시가 아니다. 이 도시의 화려한 불빛 속에도 있고, 우리의 욕망 속에도 있다.

남을 욕하기는 쉽다. 그러나 스스로 잘하기는 어렵다. 우리는 종종 세상을 비난한다. 그 세상이 바로 나이고 우리인 경우가 많다. 몇 발짝 떨어져서 보면 가엾고 측은한 우리의 민낯이다. 저 소란과 아우성은 우리의 관심과 소비를 먹고 자란다.

사순 시기를 건너고 있다. 그분의 수난과 죽음을 묵상한다. 이마에 재를 바르고 먼지로 돌아갈 때를 생각한다. 단식도 하고 금육도 한다. 기도와 절제로 회개의 강을 건넌다.

단식은 영혼에도 필요하다. 잡다한 세상 소식을 끊어주고 싶다. 죄악을 잉태한 생각과 말과 행동을 털어내고 싶다. 쾌락과 욕망, 부와 권력을 향한 달음질에서 멀찍이 물러나고 싶다.

결코 외면이 아니다. 도피도 아니다. 세상 부조리에 대한 무관심이 아니다. 불법과 불의, 불공정에 눈감고 살겠다는 것이 아니다. 밝고 아름다운 세상을 위해 우선 나부터 맑아지고 싶다.

세상이 시끄러울 땐 침묵이 답이다. 시끄럽다고 소리 질러도 소용없다. 그 소리가 또 하나의 소음이 되어 메아리친다. 차라리 침묵하라. 침묵이 침묵을 낳아 세상은 그만큼 고요해지리라.

우리는 스스로 맑아짐으로써 세상을 맑게 할 수 있다.

스스로 빛이 됨으로써 세상을 밝게 할 수 있다. 내가 맑아진 만큼 세상은 깨끗해질 것이다. 내가 밝아진 만큼 어둠은 쫓겨 갈 것이다. 내가 따뜻해진 만큼 세상은 온유와 평화로 넘칠 것이다.

사순의 강을 건너며 침묵의 노를 젓고 싶다. 흐느적거리고 비틀거리는 세상을 위해 기도하고 싶다. 세상을 구원하는 힘은 소리치는 이의 정의가 아니라 침묵하는 이의 겸허한 기도임을 믿고 싶다.

(2019.03.31)

이제와 저희 죽을 때에

그날은 주일이었다. 마을에서 읍내까지는 버스가 다닌다. 깔끔하게 차려입은 노인이 버스에 올랐다. 낯익은 듯 운전기사와 인사를 나눴다. 맨 뒷자리에 앉더니 눈을 감았다. 늘 하던 대로 나직하게 웅얼거렸다. 무슨 말인지 알 수 없었다. 읍내 정류장에 버스가 멈췄다. 노인은 여전히 눈을 감고 있었다. 운전기사가 큰 소리로 외쳤다. "어르신, 다 왔습니다." 미동도 없었다. 누군가 살며시 어깨를 흔들었다. "어르신, 내리세요. 교회 앞이에요." 노인의 상체가 비스듬히 쓰러졌다. 가슴에 품었던 성경과 찬송가 책이 스르르 풀렸다.

친구 아버님의 장례식에 다녀왔다. 친구는 목사다. 신도가 백 명도 안 되는 작은 시골교회에서 목회한다. 아버지는 주일마다 아들의 교회에서 예배를 드렸다. 그날도 그렇게 교회로 가는 길에 부르심을 받았다. 고요한 소천이었다. 예배 시간을 알리는 종소리가 은은하게 울렸다고 했다.

누구나 선생복종을 원한다. 모두가 편안하고 복된 죽음을 소망한다. 안타깝게도 그런 죽음은 흔치 않다. 많은 이들이 질병의 고통을 겪는다. 정신의 혼미 속에서 헤매기도 한다. 병원이나 요양원이 우리의 말년을 기다린다. 애처롭고 두려운 일이다.

삶과 죽음은 반대어가 아니다. 삶의 종결이 죽음이고 죽음의 과정이 삶이다. 살면서 죽음을 준비하고 죽음에 이르러 삶을 반추한다. 먼저 선한 삶이 있고서야 복된 죽음도 바랄 수 있다.

어느덧 위령성월이다. 이맘때가 1년 중 가장 쓸쓸하다. 10월은 단풍으로 황홀했다. 12월은 대림의 기쁨으로 맞는다. 그 사이 11월은 퇴색한 낙엽의 계절이다. 곱게 물든 단풍은 곧 칙칙한 갈색으로 바뀌어 거리에 나뒹굴 것이다. 스산한 바람이 휑하니 가슴을 쓸고 어디론가 사라진다. 하나둘 떠나는 계절이다.

11월은 죽음을 묵상하기에 좋은 달이다. 산행 중에 묘지를 만나면 누런 잔디 위에 잠시 누워본다. 묘비조차 없는 무덤 곁에서 바람이 전해주는 탄식을 듣는다. “나 오늘 여기에 누워 있노니, 젊은 벗이여, 누구에게나 죽음은 찾아온다네. 오늘은 나에게, 내일은 너에게.” “기억하게나. 죽음은 언제나 그대 곁에 있고 그대는 그 때를 모른다네.” “인생의 아쉬움이 뭐냐고 물었나. 살아있을 때 충분히 사랑하지 못한 것이라네. 부디 헛된 탐욕에 매달리지 말고, 나누고 섬기고 사랑하게나.”

11월은 기도가 깊어지는 달이다. 천국에서 지상으로, 지상에서 연옥으로 기도가 흐른다. 천국 영혼이 바치는 기도가 한 줄기 바람으로 우리를 휘감는다. 연옥 영혼을 향한 우리의 기도가 늦은 밤 촛불로 피어오른다. 그곳은 죄 많은 우리가 어쩔 수 없이 거쳐 가야 할 곳이다. 그러니, 영혼이여. 지금 바치는 이 기도를 기억하소서. 머지않아 이 죄인도 애덕과 탄원의 기도를 간절히 그리워하리니, 부디 그때 잊지 말아 주소서. 세상의 어진 벗들이여, 언젠가 이 가련한 영혼을 위해 작은 화살기도라도 바쳐줄 수 있겠나.

우리는 통공의 신비를 믿는다. 그리하여 위령성월에 바치는 연도 가락에는 유난히 간절함이 스민다. “깊은 구렁 속에서 주님께 부르짖사오니, 주님 제 소리를 들어주소서. 제가 비는 소리를 귀여겨들으소서. 주님께서 죄악을 헤아리신다면, 주님 감당할 자 누구이리까.”

오직 자비에 기댈 뿐이다. 은총만이 우리를 구원할 것이다. 의지와 노력만으론 선생(善生)도 복종(福終)도 어려우리니, 겸허히 기도하리라. “이제와 저희 죽을 때에 저희 죄인을 위하여 빌어주소서. 아멘.”

(2019.11.03)

이 땅의 가난한 동방박사들

아내는 남편을 위해 머리를 잘랐다. "갈색의 작은 폭포처럼" 물결치는 머리카락을 팔아 크리스마스 선물을 마련했다. 남편의 손목시계에 잘 어울리는 시곗줄이었다. 남편도 아내를 위해 선물을 준비했다. 부모로부터 물려받은 손목시계를 팔아야 했다. 그 돈으로 아내의 머릿결을 다듬어 줄 머리빗을 샀다. 성탄 전야에 서로의 선물을 확인한 부부는 안타까운 비명을 지른다. 미국 작가 오 헨리의 단편소설 「크리스마스 선물」이다.

원래 이 작품의 제목은 '동방박사의 선물'이다. 소설 속에 동방박사는 등장하지 않는다. 작가는 가난하지만, 서로를 깊이 사랑했던 부부를 동방박사에 빗대고 있다. 그들은 구세주의 탄생을 알리는 별을 보고 동방에서 찾아온 현인들이다. 아기 예수에게 엎드려 경배하고 황금과 유향과 몰약을 예물로 바쳤다. 가난한 부부의 어긋난 선물을 구세주에게 바쳐진 귀중한 예물에 비길 수 있을까. 작가는 제목을 통해 그런 비유를 암시한다.

황금은 예나 지금이나 부귀의 상징이다. 유향은 신성한 의식에 사용된 고급 향료다. 몰약은 치료와 미용에 쓰던 값비싼 의약품이다. 동방박사들은 당대 최고의 귀중품을 예물로 바쳤다. 그에 비하면 시곗줄과 머리빗은 작고 소박하다. 이 가난한 선물을 동방박사의 예물만큼이나 고귀하게 만든 것은 부부의 사랑이다.

따듯하고 아름다운 선물을 받기는 쉽지 않다. 그러나 선물을 주는 것은 어렵지 않다. 마음만 먹으면 누군가에게 기쁨과 감동을 안겨줄 수 있다. 실은 가슴 설레는 선물을 받는 일도 그리 어렵지는 않다. 선물은 묘하게도 받는 사람만큼이나 주는 사람에게도 기쁨을 선사하기 때문이다. 선물을 준비할 때부터 마음은 설레고 들뜬다. 무엇을 줄까 고르는 즐거움, 받는 이의 표정을 상상하는 기쁨이 있다. 선물을 주면서 이미 그 이상의 보상을 받는 셈이다.

때로는 한 사람의 일생을 걸고 선물을 주고받기도 한다. 결혼을 앞둔 젊은 연인은 존재 그 자체로 서로에게 선물이 된다. "나의 누이 나의 신부여, 그대는 내 마음을 사로잡았소. 한 번의 눈짓으로, 그대 목걸이 한 줄로 내 마음을 사로잡았소."(아가 4,9) "나의 연인이여, 서두르셔요. 노루처럼, 젊은 사슴처럼 되어 발삼 산 위로 서둘러 오셔요." (8,14)

사랑하는 부부에게는 또 하나의 선물이 다가온다. 새 생명의 탄생이다. 아기는 인간이 주고받는 선물과는 차원이 다른 축복이다. 한 번의 몸짓, 한 번의 웃음으로도 벅찬 행복을 안겨준다. 아이는 우주보다 소중한 선물로 오면서 천국의 순수와 평화를 세상으로 가져온다.

돌이켜보면 누구나 한때는 아름다운 선물이었다. 존재 자체로 부모와 가족에게 기쁨을 안겨드렸다. 젊음의 열정으로 뒤척이던 날, 너와 나는 감미로운 선물이었다.

다시 보니 삶이 온통 선물이었다. 슬프고 외로웠던 시간도, 절망과 고통으로 번민했던 순간도, 온전히 그분의 은총 속에 있었다. 이제 무엇을 더 달라는 기도는 하지 않으련다. 황혼과 더불어 다가올 고독과 노쇠마저도 그분의 선물임을 믿는다.

선물로 받은 삶을 다시 선물로 내놓고 싶다. 남은 시간 누군가에게 선물 같은 삶이고 싶다. 우리는 모두 선물이 될 수 있다. 너는 나에게, 나는 너에게 잊을 수 없는 선물이 되리라.

아기 예수는 어디에나 있다. 누구나 동방박사가 될 수 있다. 이 추운 겨울 저녁에 군고구마 봉지를 품어 안고 귀가하는 이 땅의 선한 가장들이여. 밤하늘의 별을 보고 베들레헴을 찾아가는 동방의 현인들이여.

(2019.12.08)

흐르는 강물처럼

한 해를 보내고 새해를 맞았다. 개인적으론 어느덧 이순(耳順)이다. 저 말의 의미처럼 귀가 순해지진 않았다. 듣는 대로 이해된다거나 마음에 거리낌이 없는 경지는 턱도 없다. 오히려 나이 들수록 옹졸해지는 게 아닐까 두렵다. 아직도 서운함과 노여움을 다스리지 못해 끙끙 앓는다. 혼자서 상처받고 세상과 섞이지 못한다. 이순은커녕 불혹이나 지천명도 아득히 멀다.

새해라고 뭐가 다를까. 지구가 태양 주위를 한 바퀴 더 돌았을 뿐이다. 2019년과 2020년의 본질적인 차이는 없다. 기해년과 경자년 사이엔 아무런 표지도 없다. 우주 공간에는 출발선도 결승선도 없다. 영겁의 시간은 인간의 작명과 셈법을 무시하고 그저 담담히 흐른다.

기쁠 일도 슬플 일도 아니다. 살아내야 할 또 한 해일 뿐이다. 새삼 생각하노니 대체 시간이란 무엇인가. 돌아보니 삶은 길고도 길었다. 또 한 편으론 눈 깜짝할 새 흘러가 버렸다. 어이하여 시간은 이처럼 종잡을 수 없는가.

연말이면 예서제서 탄식이 들린다. "벌써 12월이네." "세월이 정말 빠르군." "한 해가 번개처럼 지나갔구나." 나이 들수록 이런 느낌이 강해진다. 어찌하여 인간은 절대의 시간을 놓쳐버리고 저마다의 시계로 세월을 재는 것일까.

시간은 만만치 않다. 시간은 온 우주에서 균등하게 흐르지 않는다. 아인슈타인 이후로 과학은 시간의 절대성을 무너트렸다. 시간은 이제 엿가락처럼 늘어지기도 하고 고무줄처럼 줄어들기도 한다. 지구 위의 시간도 제각각이다. 평지에서는 느리게 흐르고 산꼭대기에서는 빠르게 흐른다. 탁자 밑과 탁자 위, 발끝과 머리끝의 시간이 다르다. 정밀한 기기로는 1cm만 달라져도 더디거나 빠르게 흐르는 시간을 잴 수 있다. 속도만 다른 게 아니다. 시간의 유일성, 독립성, 보편성, 연속성, 방향성이 모두 허물어졌다.

새해를 맞으며 의문을 품는다. 시간은 정말 존재하는 것일까. 인간은 시간 앞에 몸부림치며 허공에 금을 긋고 날을 센다. "저희의 날수를 셀 줄 알도록 가르치소서. 저희가 슬기로운 마음을 얻으리이다."(시편 90,12) 그러나 그분의 시간은 인간의 셈법과 다르다. "정녕 천 년도 당신 눈에는 지나간 어제 같고 야경의 한때와도 같습니다."(시편 90,4)

어쩌면 시간은 착각인지 모른다. 변화가 만들어내는 착시일 수 있다. 순간을 사는 인간은 영원과 절대를 이해하지 못한다. 기억의 함정에 빠져 허우적거릴 뿐이다. 너와 나의 시간은 다르다. 공통된 현재는 존재하지 않는다. 창조주 앞에 외로이 서 있는 저마다의 시간이 있을 뿐이다.

오늘이 어제가 된다. 내일은 또 오늘이 된다. 그러니 오늘이 있을 뿐이다. 과거는 그분의 품으로 소멸해버렸고 미래는 아직 놓여나지 못했다. 인간에겐 오직 현재만 주어진다. 그래서 '현재'와 '선물'은 동의어다.

나이 들수록 고개를 숙여야 하는데 아직도 뻣뻣하다. 감사할 일이 훨씬 많은데 나누고 베풀 줄 몰랐다. 자존심의 장막을 치고 용서와 사랑에 인색했다. 더 많이 내려놓아야 한다.

"너는 내 은총을 넉넉히 받았다. 나의 힘은 약한 데에서 완전히 드러난다."(2코린 12,9) 오호라, 약함 속에 은총이 있구나. 나의 약함이 곧 그분의 힘이구나. 이제 알 듯하다. 우리는 약할 때 오히려 강해질 수 있다.

멀리 황혼이 보인다. 두려워하지 않으리라. 흐르는 강물처럼 담담히 흘러가리라. 약함을 드러내고 도움을 청하리라. "아무것에도 흔들리지 마십시오. 아무것에도 놀라지 마십시오. 다 지나가는 것입니다." (아빌라의 성녀 데레사)

(2020.01.12)

둘째 묶음

메시아는 오지 않는다

지난 여름은 위대했습니다

뜨거웠던 여름이 가고 가을이다. 2014년 8월, 그 여름을 잊지 못할 것이다. 그 여름이 가져온 벅찬 감동과 떨리는 축복을, 소나기처럼 쏟아진 은총과 평화를 우리는 오래 기억할 것이다. "여름은 참으로 위대했습니다."(릴케)

프란치스코 교황은 2014년 8월 14일부터 18일까지 우리 곁에 머물렀다. 그 4박 5일, 99시간 동안 그분은 우리의 손을 맞잡았고, 우리의 등을 쓸어내렸다. 어린아이 같은 미소로 우리의 굳은 마음을 녹여냈다. 우리 사회는 모처럼 하나 된 마음으로 서로를 감싸 안으며 화해와 치유를 체험했다. 세월호 유가족은 눈물을 흘렸고, 젊은이들은 환호했으며, 지도자들은 잠시나마 정쟁을 멈췄다. 믿는 이들은 희생과 헌신의 삶을 다짐했고, 믿지 않는 이들은 선행과 봉사를 마음에 새겼다.

이제 그분은 가고 우리는 남았다. 환호와 열광이 잦아든 지금 우리는 여전히 반목과 갈등, 분열과 대립, 분노와 증오로 아파하고 있는 우리 자신을 본다. 정치는 대화와 소통으로 나아가지 못했고, 경제는 공정을 회복하지 못했으며, 사회는 공존과 상생의 길을 찾지 못했다. 우리 안의 탐욕과 무관심은 여전히 누군가에게 상처를 주고, 힘겹고 지친 이들은 여전히 사랑과 위로를 그리워하고 있다.

정녕 '프란치스코 효과'는 한순간의 꿈이었을까. 그때의 그 감동과 울림은 단지 집단적 도취와 흥분에 지나지 않았을까. 지난 여름의 그 풍요로운 축제는 한여름 밤의 불꽃놀이처럼 끝나버린 것일까.

우리가 단지 교황 프란치스코에게 열광했다면 그것은 유명 연예인을 추종하는 심리와 다를 바 없다. 우리는 그분의 일거수일투족에 시선을 모았다. 엄지를 치켜든 멋진 표정과 재치 있는 유머에 푹 빠졌다. 그러나 그것만으로는 충분치 않다. 중요한 것은 그분이 우리에게 주고 싶었던 영적 메시지를 분명하게 이해하고 기억하는 일이다.

그분은 한국에 있는 동안 열 번이 넘는 강론과 연설을 했고, 다양한 계층의 사람들과 만나 대화를 나눴다. 그 말씀 속에는 시대와 세상을 향한 깊은 통찰과 지혜가 담겨 있다. 오늘 이 시대의 한국 사회에 던지는 담론의 화두가 들어 있다.

우리는 마치 응석을 부리듯 온갖 갈등과 분열의 상처를 그분 앞에 내밀며 처방을 요청했다. 그러나 정작 그분의 말씀과 메시지에는 얼마나 귀를 기울였을까. 저마다 보고 싶은 장면만 보고, 듣고 싶은 말만 골라 들었던 것은 아닐까.

교황은 만능의 해결사가 아니다. 그러나 귀담아듣기만 한다면 우리는 그 말씀 속에서 우리가 가야 할 방향과 길을 찾아낼 수 있을 것이다.

교황은 듣기 좋은 말만 하지는 않았다. 애정과 우려 섞인 권고로 한국 교회를 일깨웠다. "번영의 시기에 오는 위험, 유혹이 있습니다. … 정신적 웰빙, 사목적 웰빙에 대한 유혹입니다. 곧 가난한 교회가 아니라 부자들을 위한 부유한 교회, 또는 잘사는 자들을 위한 중산층의 교회가 되려는 유혹입니다."

이제 그분의 메시지를 다시 새겨읽어야 할 때이다. 곳곳에 울려 퍼졌던 "비바 파파(Viva Papa)!"의 메아리가 잦아든 지금, 그분이 남긴 말씀의 의미를 찬찬히 되새기고 음미해야 한다. 어찌 보면 그분은 씨앗을 뿌리고 갔을 뿐이다. 그 씨앗에 물을 주고 키워내, 나의 삶을 바꾸고, 나라와 사회를 바꿔야 하는 것은 지금부터 해야 할 우리의 몫이다.

(2014.10.26)

저 거룩한 수도원

"솔직히 말하면 나는 한때 스님이 되고 싶었다." 지금은 고인이 되신 작가 최인호의 고백이다. 실제로 친한 스님의 승복을 빌려 입고 압구정동 거리를 걷기도 했다. 그가 꿈꾼 스님은 치열한 구도승이었다. "땡중이 아니라 진짜 중, 면도날처럼 기가 살아 있는 중, 생사의 허물을 벗기 위해 백척간두에 홀로 서서 한 발자국 더 나아가는 시퍼런 중"이었다. "한참을 살다가 언제 가는지도 전혀 모르게 대숲을 지나는 바람처럼 왔다가 물 위에 비친 기러기처럼 사라지는 중"이 되고 싶다고 했다.

그는 1987년 '베드로'라는 이름으로 세례를 받았다. 그 체험을 '벼락을 맞는 충격'으로 묘사했다. "110V도 아니고

220V도 아닌 엄청난 벼락이 제 몸의 피뢰침을 향해 내리 꽂혔다"라고 썼다. 한동안 서울주보 '말씀의 이삭'란에 그의 묵상 글이 실렸다. 문학적 감성과 신앙적 영성을 버무린 독특한 글맛이 읽는 이를 매료시켰다.

가톨릭 신자가 스님이 되고 싶다니? 묻는 이에게 그는 대답했다. "내 감정은 비단 스님에만 국한된 것은 아니다. 나는 스님도 되고 싶고, 은수자도 되고 싶고, 수도원의 종지기도 되고 싶다." 그가 그리워한 것은 결국 수행과 구도의 삶이었다.

불교 조계종은 연초에 '특수 출가 제도'를 도입하겠다고 했다. 은퇴 후 출가를 원하는 이들에게 문을 열겠다는 것이다. 전문성을 갖춘 은퇴자를 받아들여 전문 분야의 소임을 맡긴다는 구상이다. 세상 번뇌에 시달리던 직장인들이 솔깃한 반응을 보였다.

가톨릭과 불교는 서로 비슷한 수행 문화를 갖고 있다. 선불교에 장좌불와 용맹정진의 참선 문화가 있다면, 가톨릭에는 사막의 은수자로부터 이어져 온 치열한 수도 문화가 있다. 기도와 노동으로 이뤄진 단순한 삶의 전통은 오늘날 남녀 수도원에 면면히 흐른다.

두 종교의 수행에는 본질적인 차이가 있다. 불교적 수행이 해탈을 목표로 한다면, 가톨릭은 신비적 합일과 구원의 은총을 갈구한다. 깨달음은 철저하게 고독한 수행을 요구한다. 가족도, 이웃도 버리고 무소의 뿔처럼 홀로 가야 한다. 어느 고승은 산사를 찾아온 어머니에게 돌을 던져 쫓았다던가. 가톨릭 수도 문화는 공동체적 사랑을 중시한다. 미운 이를 용서하고 괴로운 이에게도 순명한다. 저 천덕꾸러기 형제를 사랑하지 못하면 은총도, 구원도 얻지 못한다.

때늦은 출가는 쉽지 않을 것이다. 무엇보다 가족의 동의를 얻어야 한다. 원망하는 가족을 뒤에 둔 출가는 무책임한 도피일 뿐이니, 조계종에서도 환영하지 않을 것이다.

우리에겐 평생 내려놓을 수 없는 십자가가 있다. 가족은 가장 큰 기쁨의 원천이면서 또한 끝까지 보듬어야 할 대상이다. 오늘날 많은 가장이 가족 부양을 힘겨워하면서도 기꺼이 그 수고를 감당한다. 가족을 사랑하지 못하면 이웃도, 친구도, 하느님도 사랑할 수 없다.

작가 최인호 베드로는 결국 이렇게 말한다. "아내와 아들딸을 둔 내 가정이야말로 평생 수도원이니 나는 이 수도원에서 죽을 때까지 평수사로 살아갈 수밖에 없을 것이다."

삶의 무게로 휘청거리는 오후, 수도원을 그리는가? 서 있는 그곳이 바로 수도원이다. 목표가 사랑일진대 가정이야말로 가장 거룩한 수도원이다. 고통 없는 삶이 어디 있으랴. 삶이 곧 수행이니, 제 십자가를 지고 묵묵히 걷는 저들이 모두 수도자다. 고단한 노동과 더불어 틈틈이 기도할 수 있다면 그곳은 어디나 수도원이다. 기도로 하루를 열고, 삼종 소리에 잠시 고개를 숙이는 그대는 이미 수도원에 있다.

(2016.05.15)

공상에서 묵상으로

멍하니 있으면 매를 부른다. 선생님들은 멍하니 있는 학생을 좋아하지 않았다. 슬그머니 다가와 뒤통수를 때리곤 했다. "정신 차려 인마! 무슨 생각 했어?" 사실 아무 생각도 하지 않았다. 잠시 넋 놓고 창밖을 바라보았을 뿐이다. 상상의 나래를 펴고 달콤한 몽상의 나라로 막 날아오른 순간이었다. 둔탁한 충격과 함께 불시착한 자리엔 아릿한 비애만 남았다.

지금은 멍하니 있어도 괜찮은 시대다. 오히려 멍하니 있기를 권장하고 예찬한다. '멍때림'의 가치를 설득력 있게 파헤친 정신의학 전문의의 책도 나왔다. 자극적인 정보의 홍수로부터 뇌를 보호하라. 혹사당하는 두뇌에 잠시라도 휴식을 주자. 여기저기서 자칭 멍때리기의 고수들이 저마다 비법을 뽐낸다. 며칠 전 서울 한강공원에서는 멍때리기 실력을 겨루는 대회도 열렸다. 심박수 변화를 중요한 심사 기준으로 삼았다고 한다.

멍때림은 아무 생각도 없어야 한다. 쉽다고 생각하면 착각이다. 무상(無想)은 아무나 이를 수 없는 지고지순의 경지다. 잠시 멍때려 비워 놓은 마음엔 어느새 잡생각이 들어와 헤집고 다닌다. 생각은 끊임없이 솟아났다 사라진다. 그 진폭을 낮출 수는 있어도 온전히 잠재우기는 어렵다. 생각에 끌려다니면 공상이나 몽상이 된다. 멍때리는 무상과는 다르다. 공상에 빠진 뇌는 여전히 쉬지 못한다.

공상도 나름의 효용은 있다. 흔히 예술가의 공상은 창작의 모태가 된다. 그들은 공상을 통해 의식과 무의식의 경계를 넘나들며 보물을 낚아 올린다. 맨부커상을 수상한 한강 작가도 어려서부터 공상을 즐겼다고 하지 않는가.

그러나 내공이 약한 사람에게 공상은 위험할 수도 있다. 환상이나 망상으로 흐르면서 현실과 동떨어진 판단을 부추긴다. 잠들어 있던 온갖 감정의 찌꺼기를 일깨워, 불안 분노 증오를 증폭시킨다. 우울증이나 염세적 충동을 부채

질하기도 한다.

멍때림으로 무상에 닿으면 짧은 치유를 얻는다. 공상은 가끔 환상적인 구상을 길어 올린다. 신앙인의 목표는 좀 더 멀리 있다. 묵상을 통해 관상에 이르러야 한다. 관상은 신앙이 추구하는 최고의 경지다. 고요한 바라봄을 통해 하느님의 사랑과 현존을 깊이 체험하는 것이다. 신비적 합일에서 오는 감미로운 침묵이며 은은한 기쁨이다.

세속에 사는 우리가 관상을 맛보기는 쉽지 않다. 평생을 기도로 살아온 수도사들도 늘 관상에 들어서지는 못한다. 애초에 관상이 인위적인 노력으로 다가설 수 있는 영역인지에 회의적인 견해도 있다. 오직 은총으로만 가능한 경지라는 것이다.

그리스도교 2천 년 역사 속에 탁월한 관상가들이 많다. 카르투시오 수도회의 귀고 2세는 관상에 이르는 길을 네 단계로 설명한다. 독서 묵상 기도 관상이다. 독서는 마음을 다하여 말씀을 읽는 것이다. 묵상은 그 말씀을 반복해서 마음에 새기고 음미하는 과정이다. 기도는 영혼의 갈망을 간절히 청하는 것이며, 관상은 영혼이 하느님과의 일치 속에 그 안에 머무는 단계라고 했다. 이 가르침에 따르면

독서 없는 묵상은 오류에 빠지기 쉽고, 묵상 없는 독서는 메말라서 가슴에 스며들지 못한다. 독서와 묵상과 기도 없이 관상에 이르는 경우는 거의 없으니 차라리 기적에 가깝다고 했다.

시대는 멍때림을 권하나 우리에겐 다른 길이 있다. 상상이 몽상, 환상, 망상의 늪에 빠지지 않도록 경계해야 한다. 공상을 넘어 묵상으로, 무상을 지나 관상으로 가야 한다. 거룩한 독서가 그 첫걸음이다.

(2016.05.29)

죽음에 바치는 헌사

우리는 죽음 앞에 경건하다. 웬만해서는 허물을 말하지 않는다. 누군들 삶에 얼룩이 없겠는가. 죽음 앞에서는 더는 거론하지 않는다. 한평생 짊어졌을 삶의 무게를 헤아리며 삼가 고개를 숙인다. 고단했던 한 생애를 내려놓고 저승에서 영원한 안식을 누리도록 기도한다.

죽음을 이르는 용어도 함부로 쓰지 않았다. 기리고 애도하는 마음을 담아 신중하게 가려 썼다. 그러다 보니 조금씩 다른 의미를 지닌 죽음의 표현이 여럿 생겼다. 언뜻 꼽아도 수십 가지다. 사망, 서거, 사거, 타계, 별세, 작고, 운명, 영면, 승천, 귀천, 붕어, 승하, 입적, 열반, 입멸, 소천, 선종 등이 있다. 순우리말로는 '죽다' '숨지다' '돌아가시다'

가 있다. 관용적 표현으로는 '숨을 거두다' '세상을 뜨다' '생을 마감하다' '유명을 달리하다' '영원히 잠들다' '하늘나라로 가다' 등이 쓰인다.

저 많은 말이 다 죽음에 바치는 조의와 더불어 그 삶에 대한 경의를 담고 있다. 죽음은 삶의 끝맺음이니 그 예우와 격도 삶에 따라 달라진다. 최근의 용례를 찾아보니, 김영삼 전 대통령은 서거했고, 강영훈 전 총리는 별세했다. 김재순 전 국회의장은 타계했고, 김정일 위원장은 사망했다. 작가 박완서와 화가 천경자는 별세로 표현됐다.

죽음을 대하는 마음은 아무래도 사후세계를 믿는 종교에서 각별하다. 불교는 입적과 열반을 주로 쓴다. 열반은 산스크리트어 니르바나의 음역이고, 번뇌에서 벗어난 해탈의 경지를 말한다. 입적은 고요함에 들었다는 뜻이니 역시 같은 말이다. 개신교는 소천(召天)으로 표현한다. '부름을 받고 하느님께로 갔다'는 뜻이니 참 좋은 말이다. 가톨릭에서 쓰는 선종은 선생복종(善生福終)의 준말이니 죽음에 바치는 최고의 헌사다. 다만 죽음 이후의 내세관을 담지 못한 아쉬움이 있다.

한편에서는 죽음을 이처럼 등급화하는데 거부감을 보인

다. 최근 한 매체는 어느 주교의 선종을 보도하면서 선종이란 표현을 쓰지 않았다. 뜻은 좋지만, 대상에 따라 선택적으로 쓰이는 차별적 용어라는 것이다. 그 매체가 선택한 단어는 '숨졌다'였다. 어쨌든 주교와 평신도의 죽음에 특별히 다른 용어를 쓰지 않겠다는 문제의식은 존중할 만하다. 다만 '선종'에 깃든 기도의 마음마저 버린 것 같아 아쉽다. 차별이 문제라면 똑같이 '선종'을 쓰면 된다.

정작 어려운 것은 그게 아니다. 도저히 복된 죽음이 아닌 경우의 용어 선택이다. 교통사고로 비명횡사했거나 뚜렷한 악덕이 알려진 경우에도 선종이란 말을 쓸 수 있을까. 그 모든 상찬과 심판을 하느님께 맡기고 그저 기리는 마음으로 선종이라고 해야 할까. 언론 매체의 고민이 필요한 대목이다.

평화신문을 찾아보니 평신도의 죽음에 선종과 별세를 혼용하고 있다. 특별한 기준이라기보다는 기자의 어휘 선택으로 보인다. 별세는 세상과의 이별이니 종교적 의미는 거의 없다. 차라리 선종을 쓸 수 없는 경우엔 '귀천'이 어떨까 싶다. 귀천은 '하느님께 돌아가다' 또는 '하늘나라로 돌아가다'로 해석할 수 있으니 가톨릭 신앙과도 잘 어울린다.

삶도 그렇지만 특히 죽음은 인간의 영역이 아니다. 하느님의 부르심을 받고 그분께로 가는 모든 이에게 최대한 예우를 갖춘 용어를 써야 한다. 죽음 앞에 숙연한 마음은 삶에 대한 평가와는 다른 문제다. 불행과 허물을 덮어주고 기도하는 마음을 담아야 한다.

(2016.07.10)

뒷담화 참회록

뒷다마는 당구 용어다. 흰 공으로 붉은 공의 뒤쪽을 때리는 기술이다. 여기서 '뒷다마 깐다'는 말이 나왔다. 우리말로 '뒤통수 치다'와 비슷한 뜻이다. 이때만 해도 어감이 좋지 않은 비속어였다. 언제부턴가 '뒷담화'라는 말로 순화돼 쓰인다. 그 자리에 없는 사람에 대해 이러쿵저러쿵 말하는 것을 가리킨다. 칭찬보다는 험담이 주를 이룬다.

뒷담화는 뒷다마보다 듣기 좋지만, 본질은 똑같다. 신앙인의 적이고 고해성삿감이다. 프란치스코 교황이 준엄히 경고했다. "뒷담화만 하지 않아도 성인이 됩니다." 화들짝 놀라 뒷담화 금지령을 내렸다. 벌써 몇 해 전인데 아직도 이 악덕에서 자유롭지 못하다. 하루를 마감하며 눈을 감는다. 오늘도 몇 사람을 입에 올렸다. 부끄러워 얼굴을 못 들겠다. 이 많은 죄업을 어찌 다 씻을까.

뒷담화의 심리는 질시 또는 열등감이다. 강자보다는 약자에게서 나타난다. 나보다 나아 보이는 동료나 상사를 깔아뭉개며 묘한 쾌감을 느낀다. 내가 좀 낫다는 우월감에 젖는다. 사실은 자신의 좌절과 굴욕을 감추려는 서글픈 자위다. 옳고 바르다면 당당히 맞담화로 나설 것이다. 논리와 명분마저 약하니 뒷담화에 기댄다. 그러므로 뒷담화는 곧 패배 선언이다. 권위 앞에 위축되지 않는 사람은 굳이 뒷담화를 하지 않는다.

뒷담화는 종종 외로움의 표현이다. 멀리 있는 사람을 희생시켜 눈앞에 있는 사람과 친밀감을 느껴보려는 시도다. 그러므로 그것은 위로받고 싶다는 가엾은 고백이다. 상처받은 영혼의 부끄러운 낯가림이다.

뒷담화하는 사람은 흔히 착각한다. 불만스러운 현실을 남 탓으로 돌린다. 사실은 그 원인의 상당 부분이 자신에게 있다. 이를 애써 외면하려는 몸부림이 뒷담화다.

뒷담화는 영혼의 원수다. 나를 파괴하고, 남을 해친다. 뒷담화가 솟아나는 그 우물은 맑아 보여도 이미 독이 퍼진물이다. 스스로의 독으로 남을 적신다. 독성이 안개처럼 퍼지면서 공동체의 화합과 평화가 무너져 내린다.

좋은 뒷담화는 드물다. "그 어떤 미사여구에 완벽한 논리로 조언을 한다 해도 그 안에 진심으로 상대를 사랑하는 마음이 없다면 그저 난도질이자 뒷담화일 뿐입니다. 더욱이 당사자가 없는 곳에서 그 사람에 대해 말하는 것은 무슨 설명이 더 필요할까요? … 우리는 내 이웃의 생명에 대해서만 폭력을 가하면 안 되는 것이 아니라, 분노의 독을 쏟아 내거나 험담을 해서도 안 되는 것입니다." 교황의 말씀이 가슴을 친다.

우리는 흔히 정치인의 막말을 탓한다. 어쭙잖은 글로 점잖게 꾸짖기도 한다. 그러다 어느 날 소스라치게 놀랐다. 그들의 막말은 적어도 뒷담화는 아니었다. 격렬하긴 해도 정면으로 퍼붓는 맞담화였다. 수시로 뒷담화에 빠지는 나는, 우리는 그들을 비난할 자격이 있을까. 고상한 척하며 훈계할 수 있을까. 막말과 뒷담화는 둘 다 악덕이지만, 굳이 더 나쁜 것을 고르자면 아마도 뒷담화일 것이다.

이제 정치인에게 요구했던 말의 품격을 스스로 다짐한다. 영국 의회에서는 다른 의원을 지칭할 때 반드시 그 앞에 '존경하는'을 붙인다. 그렇다면 너도 그렇게 하라. 누군가를 말해야 할 때 꼭 '사랑하는'을 붙여 말하라. 그 말을 붙일까 말까 망설이는 사이에 뒷담화의 유혹에서 빠져나올 수 있을 것이다.

뒷담화만 하지 않아도 성인이 될까. 언감생심 성인을 꿈꾸랴. 그저 잠들기 전에 부끄럽지 않고 싶을 뿐이다.

(2016.07.31)

면류관을 쓴 진실

이순신 장군의 적은 왜군만이 아니었다. 삼도수군통제사를 백의종군으로 내몬 것은 왜적이 아니었다. 그는 등 뒤의 적과도 싸워야 했다. 무능한 임금의 불신이 그를 괴롭혔다. 조정 대신들의 시기와 음해를 견뎌내야 했다. 왜군 함대는 불화살로 격파할 수 있었지만, 보이지 않는 적은 칼로 벨 수조차 없었다.

현대 사회에서 소문과 괴담은 보이지 않는 적이다. 칼로 베어지지 않는 어스레한 유령이다. 거짓은 늘 진실의 옷을 입고 우리를 찾아온다. 유언비어는 대개 반쯤의 진실과 뒤섞여 있기에 함부로 문전박대 할 수도 없다.

소문은 언제나 진실보다 빠르게 움직인다. 사이버 고속

도로를 타고 빛의 속도로 휘젓고 다닌다. 유혹적인 춤사위로 한바탕 굿판을 벌인 뒤 휘파람을 불며 떠난다. 그때쯤 진실이 찾아와 정중하게 문을 두드린다.

소문에게는 평생의 벗이 있다. 공포라는 이름의 친구다. 공포는 늘 소문과 상부상조, 공존공생 한다. 공포는 소문의 힘을 증폭시키고, 소문은 공포를 부채질한다. 불행하게도 우리는 종종 소문의 춤사위에 놀아난다. 공포의 위협 앞에 겁을 먹는다.

소문과의 싸움은 힘겹고 처절하다. 그것은 번번이 정면승부가 아니다. 어둠 속의 적, 보이지 않는 유령과의 싸움이다. 사방을 향해 칼을 휘둘러보지만, 칼끝에 걸리는 것은 바람뿐이다. 싸워 이겨도 별로 얻는 게 없다. 소문에 묻힌 진실을 구해낸다 해도, 진실은 이미 만신창이가 되어버렸다.

소문과의 전투가 어려운 이유는 따로 있다. 우리 안에 동조 세력이 있기 때문이다. 불신이다. 우리는 늘 속아왔고, 그래서 쉽게 믿지 못한다. 국가를, 정부를, 정치 지도자를 못 미더워 한다. 공직자는 대담하게 거짓말을 한다. 부와 권력을 움켜쥔 최고 수재들이 너무 쉽게 국민을 농락

한다. 국가기관이 밀실에서 자판을 두드리고, 어둠 속에서 정보의 방아쇠를 만지작거린다.

소문과 괴담은 바로 그런 틈을 파고든다. 우리 안의 불신이 몰래 성문을 열어준다. 불신이 똬리 튼 곳에서 진실은 맥을 못 춘다. 소통이 막힌 곳에서 진실은 숨조차 쉬기 어렵다. 진실이 소문과 힘겹게 싸울 때 불신은 슬그머니 소문의 편을 든다.

불신을 키우는 것은 언제나 무능이다. 위기 앞에 허둥거리는 정부, 서로 물어뜯기만 하는 정치, 감추고 축소하는데 급급한 관료, 그래서 소문의 야바위 굿판은 마냥 되풀이되고, 피해자는 우리 모두가 된다.

소문은 끊어질 듯 이어진다. 괴담은 사라진 듯 솟아오른다. 광우병에서 천안함으로, 세월호에서 메르스로, 모습만 바꾼 채 끊임없이 출몰한다. 권력 집단의 암투가 소문을 낳고 구중궁궐 위로 괴담이 퍼진다.

유령이 떠도는 사회는 불행하다. “우리는 빛을 바라건만 어둠만이 있고 광명을 바라건만 암흑 속을 걸을 뿐이다.”(이사 59,10) 현실은 팍팍하고 미래는 불안하다. 정부는 무력하고 정치는 비루하다. 국민은 각자도생을 파고든다.

불안이 소문을 낳고 소문은 우리를 에워싼다. 소문의 벽은 강고하다. "정녕 진실은 장터에서 비틀거리고 정직은 들어오지도 못한다."(이사 59,14)

굿판이 끝나면 사람들이 흩어진다. 그때쯤 진실이 힘겹게 일어나 처연한 미소로 손을 흔들 것이다. 오오, 진실이여! 너, 면류관을 쓴 왕이여!

(2016.09.11)

우리는 무엇을 기다리는가

어느 한적한 시골길이나. 무대 위에는 헐벗고 뒤틀린 나무 한 그루만 덩그러니 서 있다. 두 사람이 지루한 표정으로 뭔가를 기다린다. 오지 않는 버스를 기다리듯 그들은 '고도'를 기다린다. 그는 좀처럼 오지 않는다. 고도는 누구일까. 혹은 무엇일까.

사무엘 베케트의 연극 「고도를 기다리며」는 인간의 삶을 끝없는 기다림에 비유한다. 두 주인공은 하염없이 고도를 기다리면서도 막상 그 이유를 잘 모른다. 오기로 한 시간과 장소가 맞는지도 정확하지 않다. 심지어 그런 약속이 있었는지조차도 희미하다. 그저 오래된 습관처럼 기다릴 뿐이다. 고도는 대체 무엇일까. 신일까. 빵일까. 자유일까. 희망일까. 작가는 설명하지 않는다.

어느덧 세밑이다. 한 해를 보내고 새해를 맞는 기다림의 계절이다. 겨울나무는 움츠린 채 봄을 기다린다. 거리의 천사들은 따뜻한 나눔의 손길을 기다린다. 사람들은 대림초에 하나씩 불을 밝힌다. 구유를 꾸미고 캐럴을 울리며 그분의 오심을 준비한다. 많은 사람은 촛불을 들고 거리로 나섰다. 그들은 분노를 정화한 순백의 불꽃으로 뭔가를 간절히 소망한다.

우리는 무엇을 기다리는가. 대통령의 하야인가. 새로운 대통령인가. 제도와 관행의 타파인가. 체제를 부수는 혁명인가. 우리는 또 무엇을 기다리는가. 아기 예수의 탄생인가. 그분이 선포할 새로운 왕국인가. 어둠을 밝힐 빛인가. 해방과 구원의 약속인가.

우리는 종종 기다림의 정체를 모른다. 그분은 해마다 오시지만 세상은 여전히 고통 속에 있다. 그분이 언약한 '의로움이 깃든 새 하늘과 새 땅'(2베드 3,13)은 어째서 열리지 않는 것일까. 집권 세력이 바뀌어도 정경유착과 권력비리의 병폐는 끊이지 않는다. '정의가 빛처럼, 공정이 대낮처럼'(시편 37,6) 밝은 나라는 정녕 꿈에 불과한 것일까.

우리는 새로운 정치, 새로운 국가, 새로운 시대를 기대하지만 늘 좌절한다. 잡초를 뽑아낸 자리에 새로운 잡초가 자란다. 밀 대신 엉겅퀴가 나오고 보리 대신 가시덤불이 솟는다. 연극 속의 한 인물은 이렇게 읊조린다. "빛은 잠시 비출 뿐 곧 다시 밤이 오지."

시대의 어둠은 쉬이 물러가지 않는다. 그것은 잘못 뽑은 대통령 탓만은 아니다. 인물과 정파를 바꿔도 달라지지 않는 그 무엇을 바꿔야 한다. 권력자의 한마디에 정치인도 기업인도 공무원도 지식인도 맥없이 굽실거리는 이 허약한 사회구조를 보라. 박근혜 너머의 박근혜, 최순실 너머의 최순실을 봐야 한다.

빛이 오면 어둠은 사라질까. 빛은 이미 오셨고, 또 새롭게 오신다. 세상이 여전히 어두운 것은 우리 안에 어둠이 있기 때문이다. 권력에 굴종하고 돈에 빌붙는 우리 안의 탐욕을 보아야 한다. 내 안에 최 선생이 있고, 우리 안에 박 여사가 있다. 뒤틀린 권력의지와 물신숭배가 어둠을 낳고 빛을 가린다.

어둠 속에서 촛불을 바라본다. 내가 기도한 만큼 세상은 맑아질 것이다. 마음속에 촛불을 켜고 스스로 밝아진 만큼만 세상의 어둠은 줄어들 것이다. 내가 밀어낸 만큼 부정과 부패가 사라지고, 우리가 땀 흘린 만큼만 세상은 공정해질 것이다.

해가 떨어질 무렵 한 소년이 나타난다. 그는 고도가 오늘은 못 오고 내일은 꼭 온다고 전한다. 그렇게 허망하지만 뿌리칠 수 없는 약속으로 기다림은 이어진다. 내일도 우리는 여전히 기다릴 것이다. "이 모든 혼돈 속에서도 단 하나 확실한 게 있지. 그건 고도가 오기를 우리가 기다리고 있다는 거야."

(2016.12.11)

메시아는 오지 않는다

그분이 떠나던 아침은 쌀쌀했다. 지지자들은 전날 저녁부터 몰려와 밤을 새웠다. 골목은 태극기로 넘쳐났다. 구호와 탄식과 비명이 뒤섞였다. "우리가 죽더라도 대통령을 살려야 합니다!" 수십 명이 길바닥에 드러누웠다. "대통령님을 절대 못 보냅니다!" 여기저기서 울음이 터졌다. 이윽고 검은 승용차가 모습을 드러냈다. 그분은 품위를 잃지 않았다. 엷은 미소로 눈인사를 건넸던가. 짙은 유리 너머로 손을 흔드는 모습이 살짝 비쳤다. "불쌍한 우리 대통령님!" 그날 몇몇은 탈진해 병원으로 실려 갔다. 그렇게 그분은 떠났고 돌아오지 못했다.

기억은 거슬러 오른다. 십여 년 전, 이번에는 수의학을 전공한 어느 교수님이다. 그분은 저명 학술지에 생명 복제에 관한 논문을 발표하며 일약 영웅으로 떠올랐다. 어느 정당이 그를 대통령 후보로 검토한다는 소문까지 돌았다. 그에게는 '황빠'로 불린 열렬한 지지자들이 있었다. 한 어리석은 언론이 연구 윤리 문제를 제기했다가 커다란 역풍을 맞았다. 나중에 논문이 조작으로 드러났을 때도 그들은 끝까지 믿지 않았다. 곤경에 처한 그분을 돕기 위한 난자 기증 운동이 불길처럼 번졌다. "교수님 사랑해요, 제 난자를 드립니다." 기증자가 나타날 때마다 누리집 대문에는 무궁화꽃이 한 송이씩 늘어났다. 마침내 기증식이 열리던 날, 그분의 연구실 앞에는 진달래꽃이 길게 뿌려졌다. "1,000명의 난자를 기증합니다. 교수님, 사뿐히 즈려밟고 돌아오세요." 몇몇은 감격에 겨워 눈물을 흘렸다.

우리는 종교적인 민족일까. 정치도 종교가 되고 학문도 신앙이 된다. 누군가를 숭배하고 떠받드는 열정이 가히 종교의 수준을 넘나든다. 그들은 교주를 위해 기꺼이 희생을 치를 준비가 돼 있다. '박빠'나 '노빠', '황빠'는 그런 신흥 종교의 신도들이다. 그들의 교주는 억압과 탄압 속에 고난의 길을 갔다. 그럴수록 그들의 믿음은 깊어진다.

그분의 변호인이 외쳤다 "예수도 군중 재판으로 십자가를 졌다." 보라! 불의한 권력에 희생된 비운의 메시아가 여기 있노라.

그렇게 우리의 구세주는 갔다. 화려한 비상이었으되 날개 없는 추락이었다. 황홀한 비행은 충격의 불시착으로 끝났다. 추종자들의 비통한 울음이 이어진다. 영웅의 부재를 견딜 수 없는 이들이 목 놓아 그 이름을 부른다.

현실을 직시하는 것은 언제나 고통이다. 대중은 차라리 마약 같은 위로를 원한다. 애초에 진실 따윈 중요하지 않다. 고통스러운 세상에선 거짓 희망이라도 붙들어야 한다. 종교는 내세의 구원을 말하지만, 그것은 너무 멀리 있다. 당장 눈앞의 불안과 슬픔을 달래 줄 현실의 구세주가 필요하다.

모세가 산으로 간 뒤 오래도록 소식이 없자 백성들은 초조해졌다. 그들은 금송아지를 만들어 경배하고서야 비로소 안도했다. 그 앞에 제단을 쌓고 축제를 선포했다. 번제물을 올린 뒤 먹고 마시다가 흥청거리며 놀았다.

또 한 번의 선거를 앞에 두고 우리는 새 지도자를 찾는다. 저들 중 누군가는 우리를 '젖과 꿀이 흐르는 땅'으로 데

려다줄 수 있을까. 너무 쉽게 '호산나'를 외치지 말지어다. 저들은 대중의 욕구를 버무려 장밋빛 공약을 만든다. 공기를 휘저어 화려한 신기루를 빚어낸다.

메시아는 오지 않는다. 대중은 우상을 만들고 또 부순다. 그것은 우리의 욕망이 투영된 허상일 뿐이다. 환상이 깨질 때쯤 깊은 절망이 찾아온다. 금송아지 숭배는 결국 백성들이 금송아지를 불태우고 가루로 빻아 마시는 것으로 끝난다.

(2017.04.23)

이삭을 주우러 멀리 갈 것 없다

언제부턴가 멘토가 사라졌다. 한때 잘나가던 '국민 멘토'들이 대부분 추락하거나 버림받았다. 더러는 낌새를 알아차리고 스스로 숨었다. 대중은 멘토를 버렸을까. 언제는 '멘토링'으로 추켜올리더니 이젠 '멘토질'로 깎아내린다. 청춘의 아픔을 위로하던 그들의 메시지는 듣기 민망한 '꼰대질'이 되어버렸다.

베스트셀러의 저자가 또 한 권의 책을 냈다. 몇 년 전 눈물을 흘리며 그의 책을 읽었던 이들이 이번엔 무참하게 조롱했다. 내용은 비슷한데도 악성 댓글이 줄줄이 달렸다. 어제 환호와 갈채를 보내던 이들이 오늘은 야유와 조소를 던진다. 꽃다발을 바친 바로 그 손으로 이번엔 돌팔매를 던졌다. 대중은 우상을 만들고 또한 쉽게 버린다. 멘토의 몰락, 힐링의 종말이다.

청춘의 고뇌엔 정답이 없다. 혼돈의 시대에 길을 찾기는 쉽지 않다. 함부로 희망을 말하는 이여. 힐링은 상품인가. 위로도, 치유도 그처럼 쉬이 얻을 수 있던가. 모두가 스승은 아니다. 누구나 예언자일 수도 없다. “지혜는 이 세상의 것도 아니고 파멸하게 되어 있는 이 세상 우두머리들의 것도 아니다.”(1코린 2,6)

희망은 절망의 벼랑 끝에 위태롭게 걸려있다. 위로는 슬픔의 밑바닥에 눈물처럼 고인다. 고통의 근원을 보지 못하는 이에게 위로는 마약일 뿐이다. 내면의 상처와 대면하지 못한 이에게 치유는 중독에 지나지 않는다. 가엾은 영혼은 끊임없이 힐링을 찾아 헤맨다. 오늘은 여기로 내일은 저기로 기웃거린다.

그들의 언어는 감미롭다. 책은 절찬리에 팔리고 강연은 성황을 이룬다. 지혜의 샘물을 마셨을까. ‘현자의 돌’이라도 찾은 것일까. 어쩌면 너무 빨리 하산했는지 모른다. 운무 사이로 잠깐 눈부신 비경이 스쳤을 뿐이다. 그 황홀경을 초모랑마의 정상으로 착각했다. 진리의 정원을 거닌 것으로 확신했다. 돌아와 책을 쓰고 강연을 시작한다.

시대의 멘토는 불행하다. 어느 새벽의 깨달음이 그를 부추겼다. 첫발을 내디딘 바로 그 순간에 속된 욕망이 찾아들었다. 어제의 구도자가 오늘은 예언자로 나선다. 존경받고 싶은 욕망이 그를 유혹한다. 얻은 것 이상으로 말해야 한다. 어렵사리 지혜를 얻고서, 그만 명예욕에 걸려 넘어진다. 무릇 존경과 명예를 탐하는 이 중에 참 스승은 없다. "나는 지혜롭다는 자들의 지혜를 부수어 버리고 슬기롭다는 자들의 슬기를 치워 버리리라."(1코린 1,19)

진리의 산길은 종종 어둡다. 그곳엔 무지의 구름이 짙게 드리웠다. 신비를 목격한 사람은 그저 경탄할 뿐, 쉽게 표현하지 못한다. 말과 글의 한계 앞에 무력감을 느낀다. 명쾌한 답변을 조심하라. 유려한 가르침을 의심하라. 삶은 저마다 처연히 외롭고 고통은 아득히 뿌리가 깊다.

참 스승이 그리운 시대다. 노을 비낀 인생길에서 은은한 미소를 머금은 온유한 스승을 만나고 싶다. 그는 말과 글이 현란하지 않을 것이다. 차라리 어눌하고 어수룩할지 모른다. 말보다 침묵을 좋아하고, 글보다 삶을 중시하리라. 드러남을 애써 경계하여 짐짓 평범한 이웃으로 살리니 눈

밝은 이 아니면 알아보지 못 하리라.

힐링은 그리 멀리 있지 않다. 낯선 곳을 찾아 떠나는 하루의 휴가에도 치유는 있다. 시골 성당에서 흘린 고해의 눈물 속에, 수도원에서 보낸 몇 시간의 침묵 속에 위로와 은총은 찾아온다. 홀로 걷는 순례길, 촛불 속의 성체조배, 거룩한 독서에도 힐링은 있다. "들어라. 이삭을 주우러 다른 밭으로 갈 것 없다."(룻기 2,8)

(2017.05.21)

침묵의 소리

인간이 코끼리의 의사소통 수단을 알아챈 것은 1980년대 중반이었다. 미국의 한 동물학자가 그들의 비밀스러운 대화법을 처음 발견했다. 동물원의 코끼리들이 가끔 입 주변의 주름을 씰룩거렸다. 관찰자는 미세한 공기의 떨림 같은 것을 느꼈다. 직감적으로 저주파를 떠올렸다. 대학 연구팀과 함께 녹음했더니 역시나 소리가 있었다. 인간이 들을 수 있는 음보다 훨씬 낮았다. 그 나지막한 소리로 1미터나 되는 콘크리트 벽을 사이에 두고도 조용한 대화를 나누고 있었다. 야생 코끼리를 조사했더니 몇 킬로미터나 떨어진 곳에서도 서로 의사소통을 할 정도였다.

박쥐나 돌고래는 인간보다 높은 음을 듣는다. 그들은 초음파로 먹이를 찾고, 멀리 떨어진 동료와 신호를 주고받는다. 돌고래는 종류에 따라 수천 킬로미터까지 소리를 보낸다. 몸에 고성능 핸드폰을 지닌 셈이다.

얼마 전 서울대공원의 돌고래 두 마리가 고향인 제주 앞바다로 돌아갔다. 적응 기간을 거쳐 다음 달 중순쯤 완전히 방류된다고 한다. 20년 만에 풀려난 금등이는 벌써 북태평양 돌고래와 인사를 나눴을지도 모른다. 눈을 감으면 그들의 대화가 들린다. "야호, 여기 제주 앞바다야. 풍광이 끝내줘." "풀려난 것, 축하해. 곧 놀러 갈게."

우리는 들을 수 있는 소리만 듣는다. 주파수가 너무 높거나 낮은 음은 들을 수 없다. 지진파는 너무 낮아서 들리지 않는다. 돌고래가 내는 소리는 일부만 들을 수 있고, 박쥐의 초음파는 너무 높아서 듣지 못한다. 주파수가 높아질수록 높고 가늘게 들리다가 어느 순간 고요해진다. 그렇다고 음이 사라진 것은 아니다. 다만 듣지 못할 뿐이다.

공간은 소리로 가득하다. 고요한 방은 절대 고요하지 않다. 라디오를 켜면 들리지 않던 소리가 들린다. 그 소리는 이미 전파의 형태로 방을 가득 채우고 있었다. 수신기를 통과하면 전파가 음파로 바뀌어 아름다운 음악이 된다. 소리는 쉼 없이 우리를 스쳐 간다. 자연이 내는 온갖 소리가 우리를 감싸고돈다.

공간은 또 빛으로 가득하다. 우주는 아주 짧은 파장부터 긴 파장까지 다양한 빛으로 충만하다. 인간의 눈은 그중 극히 부분적인 파장만을 감지한다. 가시광선을 벗어난 영역에 인간이 보지 못하는 오묘한 빛이 숨어있다. 벌과 나비는 자외선으로 세상을 보고, 모기나 뱀은 적외선으로 먹이를 찾는다. 저마다의 눈으로 보는 세상은 서로 조금씩 다를 것이다. 가시광선만으로 세상을 보는 것은 마치 한 옥타브의 음계만으로 음악을 듣는 것과 같다.

과학자들은 적외선 망원경을 만들어 밤하늘을 관측했다. 그리고 이제껏 볼 수 없었던 수많은 별과 은하를 찾아냈다. 그 별들은 오래전부터 그곳에 있었다. 다만 인간이 보지 못했을 뿐이다.

우리는 눈에 보이는 세상이 전부라고 착각하기 쉽다. 우주는 그보다 훨씬 신비롭다. 빛과 소리는 사실 본질이 같다. 우주의 미세한 떨림이다. 빠른 떨림은 빛으로, 느린 떨림은 소리로 온다.

보이지 않는 영역에도 빛이 있다. 들리지 않는 영역에도 소리가 있다. 빛과 소리는 파동으로 어우러져 시공 속으로 메아리친다. 마음의 눈으로 보는 이에게 세상은 아름다운 빛의 향연이다. 가슴으로 듣는 사람에게 우주는 장엄한 교향곡이다.

문득 귀를 기울여 보라. 우주의 속삭임이 들리지 않는가. 창조는 신비롭고 자연은 아름답다. 세상은 노래와 진실로 가득하다. 시공은 텅 빈 듯해도 가득 차 있다. 우리는 창조주가 들려주는 침묵의 소리에서 벗어날 수 없다.

(2017.06.18)

빗소리 너머에서 듣다

빗소리는 언제나 고요하다. 사방 모든 소리를 잠재우는 힘이 있다. 세상은 빗소리 앞에 겸허하다. 눈 내리는 날의 고요처럼 가만히 소리를 죽인다. 거센 바람과 함께 올 때조차도 빗소리는 한 자락 침묵을 몰고 온다.

새벽 창가에서 비를 듣는다. 어둠이 모든 소리를 삼키고 홀로 빗소리만 처연하다. 5층 아파트에서도 소리는 제법 다채롭다. 유리에 부딪는 소리, 어딘가 철판을 울리는 소리, 시멘트벽을 때리는 소리가 다르다. 키 큰 정원수 위로 떨어진 비는 스멀스멀 작은 속삭임을 남긴다. 이따금 뚝뚝 끊어지는 소리는 위층 베란다에 맺혔던 굵은 물방울일 것이다.

어릴 적 시골집에서도 빗소리를 들었다. 초가지붕을 타고 흐르다 미끄러지는 소리는 시골소년의 오줌 소리처럼 경쾌하다. 장독대에 엎어둔 빈 항아리는 옹알거리는 아기 소리를 낸다. 뒷담 호박잎은 춤추듯 휘청거리고, 간지럼을 못 이긴 옥수숫대는 몸을 꼬며 발작적인 웃음을 터트린다. 풀숲에 떨어진 빗소리는 합창단의 허밍처럼 낮게 퍼진다. 낙숫물 통에서 넘쳐나는 소리는 심산유곡의 폭포처럼 장쾌하다. 어느 관현악단의 연주가 이보다 더 생동감 넘칠 수 있을까. 대자연의 합창, 비의 오케스트라다.

모든 소리에는 가락이 있다. 소리는 침묵에 내재한 가락을 실어 나르는 음악의 전령이다. 실로 위대한 음악은 언제나 침묵의 변주곡이다. 작곡가는 침묵에서 소리를 듣고, 그 가락을 풀어헤쳐 악보로 옮긴다. 누에고치에서 실을 뽑듯 침묵으로부터 가락을 길어 올린다. 음악은 허공을 휘젓는 지휘자의 손끝에서 생생한 소리로 살아난다.

소리는 또한 진실의 공명이다. 세상 모든 진실은 낮고 낮은 침묵의 소리로 온다. 진실은 아득한 창공에서 솟아나 대지 위에 울려 퍼진다. 진리의 바다에서 솟구쳐 세상을 휘감는다. 진리에 감전된 예언자는 그 위대한 깨달음을 노래로 남긴다. 오묘한 신비는 오직 시와 노래로 전할 수 있을 뿐이다.

소리는 결국 침묵이다. 그것은 침묵에서 솟아나 침묵으로 귀환한다. 그러므로 소리를 듣는다는 것은 그 너머의 침묵을 듣는 것이다. 내면의 울림을 따라 진실의 허공을 유영한다. 파동을 넘어 고요에 이르고, 현실에서 영원에 닿는다.

화담(花潭)은 줄 없는 거문고를 곁에 두고 즐겨 그 소리를 들었다. 소리를 듣는 것은 소리 없음을 듣는 것만 못하다고 했다. 연암(燕巖)은 울부짖듯 포효하는 큰 강을 만나 두려움에 빠진다. 그는 마침내 그 소리 너머의 고요함을 깨닫고서야, 아무런 동요 없이 하룻밤에 아홉 번이나 강을 건널 수 있었다.

내면의 소리를 듣는가. 오랜 세월 그 소리를 잊고 살았다. 더는 호박잎에 떨어지는 빗소리를 듣지 못했다. 새소리 바람 소리를 흘려들었다. 세상의 낯선 소리가 나를 삼켰고, 나는 노래를 잊었다. 어디론가 달리면서도 목표도 방향도 몰랐다. 뒤처질까 두려워 맹렬하게 뛰었다. 가끔 돌아서서 울었던 것 같다. 현실에 상처받고 미래가 두려워 자주 어둡고 외진 곳으로 숨어들었다. 이제 나는 홀로 노래하는 법을 모른다. 내 목소리는 여린 비명밖에 토해내지 못한다.

새벽어둠 속에서 비를 듣는다. 빗소리 너머의 침묵을 듣는다. 소리 너머의 소리, 침묵 저편의 침묵에 귀 기울인다. 이제 나를 짓눌러 온 그 모든 허위와 결별하리라. 거짓과 위선을 벗어던지고, 억압과 굴종을 걷어차 버리고, 탐욕과 기만의 세상에 절교장을 쓰리라. 오직 내면의 진실만으로 침묵의 바다를 항해하리라. "깨어나라, 나의 영혼아. 깨어나라, 수금아, 비파야. 나는 새벽을 깨우리라."(시편 57,9)

(2017.07.16)

잃어버린 시간을 찾아서

무엇이든 잘해야 한다. 공부도 그렇고 일도 그렇다. 세상은 치열한 경쟁이다. 잘 하지 않으면 뒤처진다. 모두가 일등만을 좋아한다. 학교도 직장도 그렇다. 온통 잘하는 사람만 찾는다. 잘하려면 열심히 해야 한다. 적당히 해서는 어림도 없다. 죽도록 뛰어야 한다. 이것저것 다 버리고 몰두해야 한다. 시간과 노력과 정성을 바쳐야 한다. 때론 가족도 친구도 잊어야 한다. 자주 밤을 새워야 한다. 휴일과 휴식을 포기해야 한다. 세상은 그런 사람을 성실하다고 상찬한다.

노동은 신성하다. 일은 소중하다. 밥벌이는 숭고하다. 우리는 그렇게 배웠고 그렇게 살았다. 직업과 직장은 삶의 터전이다. 가족의 생계가 걸려 있다. 자아를 실현하고 세상에 이바지한다. 살아있다는 존재감, 이뤄냈다는 자부심이 일에서 나온다.

교회의 가르침 또한 언뜻 그렇다. 일은 권리인 동시에 의무다. 은총인 동시에 봉헌이다. 사도 바오로는 "일하기 싫어하는 사람은 먹지도 말라"고 했다. "묵묵히 일하여 자기 양식을 벌어먹도록 하십시오."(2테살 3,12) 베네딕토 성인은 '한가함은 영혼의 원수'라 했다. '기도하고 일하라'는 가르침은 그런 정신을 요약한다. 구원과 성화의 길이 일에 있다.

어째서 이토록 일을 예찬했을까. 고대나 중세의 상황과 맞물려 있을 것이다. 그때는 노동이 주로 노예나 농노의 몫이었다. 손노동은 천한 일로 여겨졌다. 그런 인식을 바꾸는데 수도원이 일조했다. 그들은 물질적 풍요를 거부하고 고행과 금욕의 삶을 추구했다. 손노동과 자급자족을 소중한 가치로 삼았다.

시대는 많이 바뀌었다. 우리는 예전과는 비교가 안 될 정도로 바쁘게 산다. 늘 일에 지쳐있고 일에 치여 신음한다. 주어진 업무가 있고 목표량이 있다. 1인당 생산성을 따지고 실적 평가가 뒤따른다. 새벽에 출근한다. 밤늦게까지 일한다. 휴일을 반납한다. 그래도 일은 쌓여있다. 목표 달성은 어렵다. 회사는 생존의 경계선에서 닦달한다. 인건비를 줄여 수지를 맞춘다. 직원은 점점 일하는 기계가 되어간다.

노동이 인간을 파괴한다. 일은 어느덧 질병이 되었다. 가족을 위해 일한다면서도 가족은 뒷전이다. 미래를 위해 일한다지만 우리는 왜 기쁘지 아니한가. 많은 이들이 우울하고 슬프다. 아프고 외롭다. 자주 짜증이 차오르고 까닭 모를 분노가 치솟는다. 멍하니 허공을 노려보다가 돌연 버럭 소리를 지른다. 우리는 그렇게 서서히 미쳐가고 있다.

휴식이 필요하다. 좀 쉬고 싶다. 호숫가를 거닐며 시를 읊고 싶다. 숲속을 산책하며 노래하고 싶다. 대자연의 품에서 창조주의 숨결을 느끼며 그 위대한 신비를 찬미하고 싶다. 피조세계와 더불어 가장 아름다운 기도를 바치고 싶다.

교회는 노동의 신성함만 강조하지 않는다. 안식일의 전통 또한 교회 안에 있다. "너희는 엿새 동안 일을 하고, 이렛날에는 쉬어야 한다. 이는 너희 소와 나귀가 쉬고, 너희 여종의 아들과 이방인이 숨을 돌리게 하려는 것이다."(탈

출 23,12) 일찍이 교황 레오 13세는 노동으로 인한 인간성 파괴를 내다봤다. 100년도 더 전인 1891년에 회칙「새로운 사태」를 반포했다. 그 흐름 속에서 성 요한 바오로 2세는 이렇게 일깨운다. "노동이 인간을 위해 있는 것이지 인간이 노동을 위해 있는 것은 아니다."(「노동하는 인간」 6항)

노동절 아침에도 출근하며 문득 생각한다. 도대체 그분이 주신 은총의 시간은 다 어디로 사라져 버렸는가. 세상의 성실한 벗들이여. 묻노니, 우리의 삶은 정녕 아름다운가. 혹시 헛된 가치를 좇으며 사랑과 행복을 저버린 것은 아닌가. 그분께서 이끄신다. "따로 한적한 곳으로 가서 함께 좀 쉬자."(마르 6,31)

(2018.05.06)

코헬렛을 읽을 시간

마음에 서늘한 바람이 일 때 코헬렛을 읽는다. 세상 사는 일이 빌려 입은 옷처럼 불편하게 느껴질 때 홀로 물러나 코헬렛을 찾는다. 친구 모두가 나보다 훌륭하게 뵈는 날, 집으로 돌아와 코헬렛을 펼친다. 세속의 평판과 재량에서 놓여나고 싶을 때, 부질없는 다툼에서 초연하고 싶을 때 코헬렛은 위로와 분별을 준다.

인간의 세상엔 언제나 바람이 불고 파도가 친다. 행복도 불행도 우리의 짧은 지혜로는 헤아리지 못한다. 고통 뒤에 환희가 숨어있고, 기쁨 뒤엔 고난이 도사리고 있다. 코헬렛은 말한다. "행복한 날에는 행복하게 지내라. 불행한 날에는, 이 또한 행복한 날처럼 하느님께서 만드셨음을 생각

하여라. 다음에 무슨 일이 일어날지 인간은 알지 못한다.”(7,14)

우리는 돈과 권력과 명예를 좇아 한평생을 산다. 출세와 성공의 잣대가 그것이다. 그러나 보라, 권력이 얼마나 허망하며, 돈이 오죽 사람을 옥죄고, 명예 또한 얼마나 하찮은 것인가.

전직 대통령 두 분이 감옥에 갔다. 그들과 함께 한 정치인과 관료 수십 명이 쇠고랑을 찼다. 그들에게 권력은 무엇이었을까. “누구든 선두에 선 이에게는 끝없이 많은 백성이 따르게 마련이다. 그러나 다음 세대 사람들은 그를 달갑게 여기지 않는다. 그러니 이 또한 허무요 바람을 붙잡는 일이다.”(4,16) 권력이 정의를 외면하고 약자 위에 군림할 때, 그것은 강도떼의 분탕질이 된다. “국가 안에서 가난한 이에 대한 억압과 공정과 정의가 유린됨을 본다 하더라도 너는 그러한 일에 놀라지 마라. 상급자를 그 위의 상급자가 살피고 이들 위에 또 상급자들이 있기 때문이다.”(5,7)

재벌 총수가 줄줄이 사법의 심판을 받는다. “고통스러운 불행이 있으니 나는 태양 아래에서 보았다, 부자가 간직하던 재산이 그의 불행이 되는 것을."(5,12) 재물을 모으는 과정은 아름답지 못했고, 그 분배는 향기롭지 않았다. "재산이 많으면 그것을 먹어 치우는 자들도 많다. 눈으로 그것을 바라보는 것밖에 그 주인에게 무슨 소용이 있으랴?"(5,10) 베풀고 나누지 못한 부의 끝은 언제나 쓸쓸하다. "그는 평생 어둠 속에서 먹으며 수많은 걱정과 근심과 불만 속에서 살아간다."(5,16)

명예나 지혜처럼 고상해 보이는 것들마저도 그 뿌리는 세상에 있다. 인간의 지혜는 눈앞의 행불행조차 구분하지 못한다. 은총을 고통으로 여기고, 축복을 징벌처럼 피한다. 그들의 명예는 시간 속에서 빛이 바래고, 바람이 바뀌면 어느새 옛것이 된다. "그렇다, 나는 이 모든 것을 내 마음에 두어 고찰해 보았는데 의인들도 지혜로운 이들도 그들의 행동도 하느님의 손안에 있었다. 사랑도 미움도 인간은 알지 못한다."(9,1)

한 정치인의 비보가 들려온 날, 황망한 마음으로 코헬렛을 펼쳤다. "죄를 짓지 않고 선만을 행하는 의로운 인간이란 이 세상에 없다."(7,19) 속속들이 알진 못하나 그분만큼 산 사람도 드물 것이다. 그 삶에 경의를, 그 죽음에 애도를 바친다. 어이하여 이 땅의 정치는 공존과 상생으로 나아가지 못하고, 이 백성은 대화와 소통에 저리 서투른가.

우리의 삶은 유한하고 덧없다. “먼지는 전에 있던 흙으로 되돌아가고 목숨은 그것을 주신 하느님께로 되돌아간다.”(12,7) 그러니 벗이여, 순례자의 마음으로 살아야 한다. 부질없는 세상의 평가에 연연하지 말고, 부족한 인간의 위로를 구하지 말자. “하느님을 경외하고 그분의 계명들을 지켜라. 이야말로 모든 인간에게 지당한 것이다.”(12,13)

벗이여. 지금은 코헬렛을 읽을 시간이다.

(2018.07.29)

비움과 버림

한때는 책이 가득한 시재를 꿈꿨다. 늘 꿈으로 그쳤다. 열 번 넘게 옮겨 살면서도 서재 한 칸 마련이 어려웠다. 지금도 책장은 거실 한쪽을 겨우 비집고 서 있다. 짐짓 이렇게 둘러댄다. 책을 어찌 골방으로 쫓으랴. 당당히 거실로 모셔야지. 가당찮은 변명이다. 누가 봐도 거실의 주인은 따로 있다. TV가 켜지면 그 현란한 빛과 소리가 공간을 지배한다. 책장은 복도에서 벌서는 아이처럼 쭈뼛거리다 폭군이 잠든 뒤에야 어깨를 편다.

설 연휴를 보내며 책을 버렸다. 둘 곳 없는 책이 늘어나면서 집안이 너무 어지러웠다. 책상과 탁자, 침대와 화장실에 널브러진 책들이 자리를 찾아달라고 아우성이었다.

해결책은 하나, 솎아내기였다.

책은 단순한 지식의 보고가 아니다. 무슨 지혜의 샘이라 말할 자신도 없다. 버릴 책을 고르다 보니 책은 추억이었다. 한 시절의 치기 어린 열정을 간직한 책들이 저마다 간절한 눈빛으로 호소한다. 설마 날 버릴 생각은 아니겠지. 커피가 묻어난 책갈피가 속삭였다. "그해 여름 해변의 찻집이 생각나지 않니. 그 기억마저 지워버릴 거야?" 밑줄을 긋고 느낌을 적어둔 행간이 놀라 소리친다. "잘 생각해 봐. 네 그 알량한 지식의 출처가 어디인가를."

그저 몇 시간이면 끝날 줄 알았던 책 정리가 다음날까지 이어졌다. 저마다 생존의 이유를 내세우는 책들 앞에서 재판은 한없이 늘어졌다. 긴 항소이유서를 읽어내다 보면 어느 순간 재판은 독서가 되어버렸다. 할 수 없이 엄격한 살생부의 기준을 세웠다. 다시 읽을 가능성이 없는 책은 과감히 버린다. 젊은 날의 추억과 열정과 은덕은 무시한다. 오직 활용할 책만 남긴다.

그렇게 구정 대학살을 끝냈다. 책장 세 칸을 채우니 한 뼘쯤 여유 공간이 생겼다. 살아남은 책들을 바라보니 재판은 절대 공정하지 않았다. 숨겨진 또 다른 기준이 슬며시 힘을 발휘했다. 내 빈약한 지식을 가려보려는 위장이었다. 이 정도 책은 읽었노라고 과시하고 싶은 허영이었다. 어쩌면 자신을 향한 변명과 위로 같기도 했다. 책장에 남겨진 것은 책이 아니라 거짓과 욕심이었다. 아직도 버리지 못한 내 욕망과 집착의 크기였다.

돌아보니 책만이 아니다. 집안 곳곳에 물건이 뒹군다. 버리긴 아깝고 쓰기엔 마땅찮다. 언제 다시 입을까 싶은 옷들이 있다. 몇 년 동안 꺼내 보지 않은 그릇도 보인다. 포장만 뜯어본 선물, 수십 년 된 담금주는 준 사람조차 가물거린다. 진즉 누군가에게 줬어야 했다. 필요한 사람에게 가지 못한 물건은 가치를 잃고 잡동사니로 전락했다. 결코 근검절약이 아니다. 내 우둔과 아집의 증표일 뿐이다.

공간은 비울수록 커진다. 버릴수록 여백이 살아난다. 물건은 공간을 잠식하다가 차츰 합세해 인간의 정신을 침범한다. 물욕에 물든 영혼은 그 무게 때문에 천국으로 날아오르지 못한다.

집착은 허약한 영혼의 속성이다. 탐욕은 정신의 공허함을 드러낸다. 마음에 보화를 쌓지 못한 사람이 재물에 집착한다. 내세울 게 없을수록 과시하려 한다. 이젠 좀 벗어나고 싶다.

퇴장의 시간이 머지않았다. 직장에서 사회에서 물러난다. 주역이나 현역의 자리는 오지 않는다. 어쩔 수 없이 비움과 버림의 지혜를 터득해야 한다. 하나씩 버릴 테다. 더는 모으지 않으련다. 삶의 마지막 시기엔 책상 위에 성경 한 권만 있는 텅 빈 방에서 기도하고 싶다.

(2019.02.17)

소신, 가난의 선물

교황청은 해마다 부처님 오신 날에 전 세계 불자들에게 보내는 경축 메시지를 발표한다. 인류 보편의 가치를 위해 함께 노력하자는 내용으로 축원과 인사를 건넨다. 불교 조계종도 성탄절을 앞두고 조계사 일주문 앞에 성탄 트리의 불을 밝힌다. 이웃 종교를 존중하는 아름다운 모습이다.

가톨릭이 처음부터 이처럼 유연하지는 않았다. 그 배경에는 1965년에 끝난 제2차 바티칸 공의회가 있다. 공의회는 다른 종교에 대한 입장을 정리한 「우리 시대」라는 선언을 채택한다. 이 문헌의 한 대목은 이렇다. "가톨릭교회는 이들 종교에서 발견되는 옳고 거룩한 것은 아무 것도 배척하지 않는다. 그들의 생활양식과 행동방식뿐 아니라 그 계율과 교리도 진심으로 존중한다. 그것이 비록 가톨릭교회에서 주장하고 가르치는 것과는 여러 가지로 다르더라도, 모든 사람을 비추는 참 진리의 빛을 반영하는 일도 드물지는 않다."

사실 그 이전까지 가톨릭은 심판하는 교회로 보였다. 교리를 수호하고 이단을 파문하는 데 타협하지 않았다. 그런데 다른 종교의 계율과 교리에도 진리가 있다니 놀랍지 않은가. 이 문헌은 더 나아가 이렇게 선언한다. "그러므로 교회는 … 다른 종교인들의 정신적 도덕적 자산과 사회문화적 가치를 인정하고 보호하며 증진하도록 모든 자녀에게 권고한다." 당혹스럽다. 다른 종교의 가치를 인정하는 정도가 아니라 보호하고 증진하란다. 얼마나 파격적인가.

제2차 바티칸 공의회는 교회의 현대화, 즉 전면적 개혁과 쇄신의 분수령이었다. 시대적 소명을 새롭게 해석하는 16개 문헌을 채택했다. 그로부터 가톨릭교회는 완전히 다른 모습이 되었다. 진리를 독점한 도도한 교회에서 다른 종교와 대화하는 열린 교회로 바뀌었다. 단죄하고 가르치는 교회가 아니라 인간의 허물과 고통을 끌어안고 함께 아파하는 교회가 되었다. 오늘날 역사가들은 이 공의회를 가톨릭 역사에서 가장 위대한 사건으로 꼽는 데 주저하지 않는다.

교회 쇄신이 거저 다가오진 않았다. 제2차 바티칸 공의회가 있기까지 교회는 진통을 앓았다. 그보다 100년 전인 1869년에 제1차 바티칸 공의회가 열렸다. 사상적 대립과 혼란이 극심한 시기였다. 회의 도중 이탈리아군이 교황령을 점령했다. 이로써 교황청은 중세 이래 다스려온 넓은 영토를 잃고 땅 한 평 없는 가난한 교회가 되었다. 오늘날의 바티칸 시국은 1929년 교황청과 이탈리아 정부의 협약으로 다시 확보한 땅이다. 가톨릭교회의 쇄신은 어쩌면 가난이 가져온 선물일지 모른다. 세속 영토를 모두 잃고 교회의 존립과 본질에 매달릴 수밖에 없었던 쓰린 체험의 산물이었다. 이런 절박함이 제2차 바티칸 공의회를 소집하게 하였고, 교회 안팎에 엄청난 새바람을 불러일으키는 계기가 되었다.

부처님 오신 날에 한국 불교를 생각한다. 이웃 종교에 대한 발언은 조심스럽고 위태로울 수밖에 없다. 그럼에도 관심을 거두진 못한다. 우리 문화와 정신의 영역에서 불교가 차지하는 비중이 워낙 크다. 일찍이 만해 한용운은 조선불교 유신론을 주창했다. 유신은 파괴를 전제로 함이니, 유신하지 않음을 걱정하지 말고 파괴하지 않음을 걱정하라고 했다. 유신은 가톨릭의 쇄신과 같은 의미일 것이다. 만해의 주장은 아마도 제2차 바티칸 공의회 같은 대변혁이 아니었을까 싶다. 청정 쇄신은 모든 종교가 끊임없이 걸어야 할 길이다. 가톨릭의 쇄신 또한 결코 마침표를 찍을 수 없다.

(2019.05.12)

조르주 르메트르의 하늘

우주는 팽창하고 있다. 이를 처음 입증한 사람은 미국의 천문학자 에드윈 허블이었다. 1929년에 멀리 있는 은하일수록 더 빠르게 멀어진다는 관측 결과를 발표했다. 은하까지의 거리와 후퇴 속도를 규정한 이 관계식을 '허블의 법칙'이라 부른다. 고교 교과서에도 나올 만큼 현대 우주론의 뼈대를 이룬다.

지난해(2018년) 10월 국제천문연맹은 이 법칙의 명칭을 변경했다. '허블-르메트르 법칙'으로 바꿔 부르도록 권고했다. 우주 팽창에 관한 르메트르의 선구적 연구를 뒤늦게 인정한 것이다. 조르주 르메트르, 그는 벨기에의 예수회 사제였다. 아인슈타인보다 열댓 살 아래였지만 동시대에 활동했다. 아인슈타인의 방정식을 풀어서 처음으로 우주의 팽창을 제시했다. 이 논문의 발표가 1927년이니 허블의 관측보다 2년이 앞선다.

팽창우주는 필연적으로 우주의 시작을 암시한다. 팽창의 시간을 거슬러 올라가면 결국 아주 작은 초기의 모습과 만나지 않을까. 르메트르는 후속 논문에서 그 태초의 씨앗을 '원시 원자(Primeval Atom)'로 불렀다. 지금의 우주는 이 원시 원자가 팽창한 결과라는 것이다. 이것은 오늘날 정설로 굳어진 빅뱅우주론의 모태가 된다. 르메트르는 빅뱅 이론의 역사에서 빼놓을 수 없는 인물이다.

빅뱅은 언뜻 창세기의 천지창조를 연상시킨다. 때문에 가톨릭교회는 호의적 반응을 내놓았다. 비오 12세 교황은 1951년 교황청 과학원 회의에서 이렇게 말했다. "오늘날의 과학은 '빛이 생겨라' 했던 태초의 순간을 증언하는 데 성공한 것으로 보입니다."

교황청 과학원은 1936년 비오 11세 교황 때 새롭게 재편됐다. 해마다 학술회의를 열어 과학 발전을 조명하고 연례 보고서를 제출한다. 르메트르는 창립 회원이었다가 1960년부터는 의장으로 활동했다.

그는 자신이 주창한 이론을 환영한 교황의 과감한 연설을 어떻게 받아들였을까. 우선 당대의 언론은 교황청의 놀라운 입장 변화로 떠들썩하게 보도했다. 그러나 일부 과학자들은 매우 비판적인 반응을 보였다. 과학 이론으로 신앙을 정당화하려는 의도가 옳지 않다고 보았기 때문이다. 이 점은 르메트르도 마찬가지였다. 그는 과학과 신학을 억지로 연결하면 과학 발전은 물론 교회에도 도움이 되지 않는다고 조언했다.

오늘날 교회는 과학을 경계하지도 배척하지도 않는다. “교회는 과학의 놀라운 진보를 막으려고 하지 않습니다. 반대로, 교회는 하느님께서 인간 정신에 주신 크나큰 잠재력을 깨닫게 되어 기쁘고 또 즐거워합니다.”(「복음의 기쁨」 243)

신앙과 과학은 한때 서로 대립한 적도 있었으나 이제 서로를 인정하고 존중한다. 과학은 우주의 신비에 다가서려는 인간 지성의 노력이다. 신앙은 대자연 앞에 헐벗은 영혼이 던지는 궁극의 질문에 답하려 한다. 교회는 성경을 과학 교과서로 여기지 않으며 그 역할을 온전히 과학에 넘겼다.

르메트르는 1960년에 몬시뇰이 됐고 1966년에 선종했다. 최고의 과학자이자 성직자로서 과학과 신앙의 관계를 올바르게 정립하는 데 공헌했다. 특히 과학 이론이 아무리 그럴듯해 보여도 종교가 그 옳고 그름을 판단해서는 안 된다는 교훈을 남겼다. 과학 이론은 언제든 수정되거나 폐기될 수 있지만, 교회는 영원의 가치를 추구하기 때문이다.

현대 과학의 눈부신 발달 앞에서 이따금 현기증을 느낄 때 르메트르의 말은 여전히 음미할 만하다. "교회가 과학을 필요로 합니까. 아닙니다. 십자가와 복음만으로 충분합니다."

(2019.08.11)

슬퍼하는 사람은 행복하다

언제부턴가 길을 잃었다. 신앙마저 아스라이 멀어져갔다. 교회 안에서 살았다. 큰 성당 옆 축복받은 일터에서 오래 일했다. 어느 날 보니 안으로 울고 있었다. 현실에 상처받고 미래가 두려워 오들오들 떨고 있었다. 친구도 이웃도 동료도 멀리했다.

햇살 화사한 어느 날, 상처 입은 고슴도치처럼 동굴 속으로 숨어들었다. 어둡고 축축한 그곳에서 외려 아늑함을 느꼈다. 오랫동안 머물렀다. 상처가 아문 뒤에도 쉬이 나설 수 없었다. 어둠에 익숙해진 눈은 세상의 눈부심을 견딜 수 없었다.

온몸이 아팠다. 거듭 검진을 받아도 원인을 찾지 못했

다. 고통을 호소하는 내게 의사는 정신과 상담을 권했다. 결코 인정할 수 없는 진단 앞에 고개를 저으며 저항했다. 매일 복음을 읽고 성무일도를 가까이하지 않았는가. 내 영혼의 주춧돌이 그리 쉽게 무너질 리 없다! 대학병원 의사는 항우울제를 처방했다. 그 약을 서랍에 넣어 두고 오래 외면했다. 어느 날 등산길에 위태로운 유혹을 만났다. 한참을 머뭇거렸다. 그리고 집으로 돌아와 1년도 더 지난 그 알약을 눈물로 삼켰다.

사람을 만날 수 없었다. 혹시라도 알아챌까 두려웠다. 동정과 위로 따위를 적대하고 거부했다. 성당에도, 모임에도 발을 끊었다. 주일이면 홀로 떠났다. 눈 부신 햇살 속에서면 슬픔이 찬란히 녹아내렸다. 발 닿는 대로 시골 성당이나 수도원을 찾아가 미사를 드렸다. 간절히 구원을 바랐지만, 어디에도 손을 내밀 수는 없었다. "내 영혼아, 어찌하여 녹아내리며 어찌하여 내 안에서 신음하느냐?"(시편 42,12)

책을 읽었다. 우울증을 다룬 책이 그리 많은 줄 몰랐다. 알고 보니 우울은 너무나 흔한 질병이었다. 상처와 고통은 가슴마다 넘쳤고 불안과 절망은 시대를 휘감았다. 모퉁이를 돌 때마다 우울의 어머니, 우울의 자식들이 아닌 척하며 지나갔다. 공황장애, 강박증, 편집증, 조현병, 조울증, 자폐증, 사회공포증, 불면증이 죄다 불안과 우울의 그림자였다. 젊은이는 거리에서 하늘을 우러르고 나이 든 이는 돌아서서 숨죽여 울었다.

우울은 늪처럼 바닥으로 끌어 내린다. 외롭고 불행하다. 불안하고 수치스럽다. 스스로 내동댕이치고 싶다. 귀찮고 싫다. 어찌해 볼 도리가 없다. 이런 감정이 바이러스처럼 퍼져 가까운 사람을 감염시킨다. 우울은 어디에서 오는가. 현실의 압박과 좌절인가. 어린 시절의 아픈 기억인가. 억눌린 욕망인가. 자아를 지키려는 몸부림인가. 연구도 많고 처방도 넘친다. 체험과 고백도 드물지 않다. 그래도 벗어나기는 쉽지 않다. 돌이켜보니 극복이 아니었다. 그냥 버티고 견뎌낸 시간이었다. 시간의 강물이 씻어낼 때까지.

치유의 첫걸음은 받아들이는 것이다. 인정하고 긍정해야 한다. 몸의 상처와 마찬가지로 마음도 멍들 수 있음을 이해해야 한다. 바로 그 질환이 내게 왔음을 수긍해야 한다. 뜻밖에 흔하다는 사실을 아는 것이 도움이 된다. 그다음엔 원인을 찾아 나서야 한다. 슬픔과 불안과 두려움의 근원을 찾아 긴 여행을 떠나야 한다. 아마도 내면의 상처와 마주해야 한다. 어쩌면 기억에도 없는 경험이나 충격과 맞닥뜨릴 수 있다. 어둠 속에 똬리 튼 거뭇한 실체를 확인하고 목 놓아 울지도 모른다.

우울증은 병이 아니라 약일 수 있다. 견딜 수 없는 상처가 나를 파괴하지 않도록 눈물로 씻어내 준다. 그 정화를 겪어낸 사람은 달라진다. 세상의 거죽을 보지 않는다. 가려진 내면을 헤아리고 슬픔과 아픔을 읽어낸다. 측은지심으로 용서와 사랑을 얻는다.

고통 없는 삶이 어디 있으랴. 오늘도 주문처럼 왼다. "슬퍼하는 사람은 행복하다. 그들은 위로를 받을 것이다."(마태 5,4)

(2020.02.23)

그분의 계획은 따로 있다

소리로 표현된 선율은 언제나 아쉬움을 남긴다. 깊은 울림은 소리 너머에 있다. 저 아득한 태고의 침묵까지 담아내기에 소리는 역부족이다. 예인은 소리를 통해 소리의 경계선에 이른다. 마침내 소리를 버리고 소리 없음에 귀의한다. 악기를 내려놓고 고요히 눈을 감는다.

화담 선생은 늘 줄 없는 거문고를 곁에 두었다. 그 무현금(無絃琴)에 한시를 남겼다. “무릇 소리를 듣는 것은 소리 없음을 듣는 것만 못하다.(聽之聲上 不若聽之於無聲)” “음률은 귀로 듣지 않는다. 마음으로 듣는다.(音非聽之以耳聽之以心)”

무사에게 검(劍)은 곧 생명이다. 검으로 적을 베고 자신을 지킨다. 평생 검법을 수련하고, 한 자루 검으로 승부에 나선다. 좋은 검을 찾아 기꺼이 값을 치른다. 그렇게 검을 받들던 무사가 어느 순간 검을 버린다. 그는 검으로는 이를 수 없는 경지를 보았다. 검은 보이는 것밖에 베지 못한다. 검으로 적의 목은 벨 수 있어도 그 마음을 벨 수는 없다. 적을 베고도 마음으로 질 수 있다. 이기고도 굴욕감에 시달릴 수 있다. 마음의 승부는 검법 너머에 있다. 무엇보다 그는 세상 승부의 하찮음에 눈을 뜬다. 승부 너머의 승부, 인생을 건 승부는 검으로 결정되지 않는다. 마침내 그는 검을 버린다. "나에게는 검이 없다. 검을 버림이 곧 나의 검이다."

아버지가 아들에게 말한다. "아들아, 너는 다 계획이 있구나." 그러나 아버지는 알고 있다. 계획대로 되지 않는 게 인생이란 걸. 파티를 즐기던 바로 그 밤에 졸지에 수재민이 되어 체육관 마루에 눕는다. 얼결에 살인을 저지르고, 지하 밀실로 숨어든다. 어느 하나 계획하지 않았다. 그래도 필연처럼 엮인다. "가장 완벽한 계획이 뭔지 알아? 바로 무계획이야." 아들은 그 깊은 의미를 헤아릴 수 있을까. 영화는 아들의 독백으로 끝난다. "아버지, 저는 근본적인 계획을 세웠습니다. 돈을 벌겠습니다. 그리고 가장 먼저 그 집을 사겠습니다. 아버지는 걸어서 계단을 올라오시기만 하면 돼요." 관객은 알고 있다. 그 계획의 허망함을. (영화 「기생충」)

삶은 행선지를 모르는 열차와 같다. 우리는 두리번거리며 창밖을 살핀다. 석양이 뉘엿뉘엿 기울 때쯤 어렴풋이 깨닫는다. 이 열차는 북쪽으로 가고 있구나. 따뜻한 남쪽 해변에서 멋진 일광욕을 즐기려던 나의 계획은 애초부터 허망했구나. 때늦은 회한이 스민다. "나의 날들은 흘러가 버렸고 나의 계획들도, 내 마음의 소망들도 찢겨졌다네." (욥기 17,11)

계획은 인간이 세운다. 그러나 그 성사는 하늘의 몫이다. "인간이 마음으로 앞길을 계획하여도 그의 발걸음을 이끄시는 분은 주님이시다."(잠언 16,9) 우리는 그분의 큰 계획을 알지 못한다. 미천한 나를 주춧돌로 쓰실지 서까래로 쓰실지 헤아릴 수 없다.

두려워할 일은 없다. 그분의 계획은 따로 있다. "통치자들을 왕좌에서 끌어내리시고 비천한 이들을 들어 높이셨으며 굶주린 이들을 좋은 것으로 배불리시고 부유한 자들을 빈손으로 내치셨습니다."(루카 1,51-53) 그러므로 마지막 기도는 그분을 닮으리라. "그러나 제 뜻이 아니라 아버지의 뜻이 이루어지게 하십시오."(루카 22,42)

그러므로 이제 계획을 내려놓는다. 물러날 때가 되었나니, 새삼 무슨 설계 따위에 연연하진 않으리라. 벗이여, 얼마 전 물었지. 이제 답할 수 있네. 나에게는 계획이 없다네. 계획을 버림이 곧 나의 계획이네. 목표나 의지마저 버리려 하네. 온전히 맡겨드림이 곧 나의 목표라네.

(2020.03.29)

셋째 묶음

세상에 참 평화 없어라

돌아갈 수 있는 과거는 없다

우주에서 본 지구의 모습은 아름답고 매혹적이다. 인류가 눈으로 확인한 것은 1972년이었다. 아폴로 17호의 우주비행사가 캄캄한 허공에 보석처럼 빛나는 지구의 모습을 카메라에 담았다. 푸른 바다와 붉은 대륙 위로 대기권의 기류가 마블링처럼 소용돌이치고 있다. 나사(NASA)는 이 멋진 사진에 '블루 마블'이란 이름을 붙였다. 끝 모를 우주 공간에 떠있는 영롱한 구슬, 그 위에 전쟁과 기아, 고통과 슬픔의 삶이 있으리라고는 차마 상상하기 어렵다.

멀리서 본 풍경은 언제나 아름답다. 우리의 인생 또한 그럴까. 지난날을 돌아보면 모든 것이 꿈결처럼 아늑하다. 어린 시절의 추억은 곱게 채색되어 기억 속에 남았다. 청춘의 방황과 시행착오마저도 인생의 소중한 체험으로 자리 잡았다. 고난의 상처는 어느덧 아물어 은은한 미소와 함께 떠오른다. 그토록 쓰라렸던 고통마저 돌이켜보니 행복의 다른 한쪽이었다. 그리하여 시인은 노래한다. "이 세상 소풍 끝내는 날 / 가서 아름다웠더라고 말하리라"

1980년대를 추억한 드라마가 숱한 화제를 낳으며 막을 내렸다. 많은 사람이 드라마를 보며 아득한 향수에 젖었다. 향수는 복고 열풍을 불러왔다. 80년대 스타일의 패션, 화장품, 광고가 유행을 탔다. 당시의 명곡들이 음원 순위를 휩쓸고, 오래전에 사라진 추억의 상품이 다시 나와 날개 돋친 듯 팔렸다고 한다.

1988년이면 서울올림픽이 열렸고, 새 대통령이 취임했고, 북방정책이 추진됐고, 평화신문이 창간된 해이다. 그때 우리는 어떤 모습으로 살았을까. 다시 돌아가 살아보고 싶을 만큼 좋았던 시절일까. 최근 몇 년 사이에 과거를 추억하는 드라마나 영화가 부쩍 많았다. '건축학개론' '국제시장'이 그랬고, '응답하라 …'는 아예 시리즈로 이어졌다. 작품 속에는 풋풋한 사랑이 있고, 청춘의 꿈과 낭만이 있고, 끈끈한 가족이 있다.

과거를 추억한다는 것은 현재의 삶이 그만큼 암울하다는 방증이다. 현실에 만족한 사람은 굳이 과거를 그리워하지 않는다. 미래가 희망적인 사람은 장밋빛 꿈을 채색할 뿐이다. 반대로 현실이 절박한 사람은 필사적으로 과거에 매달린다. 미래가 막막할 때 우리의 의식은 그나마 좋았던 시절을 찾아 과거로 회귀한다. 그래서 복고는 필시 현실이 힘들고 미래가 불안하다는 집단 정서의 반영이다.

새해 벽두 기록적인 한파가 닥쳤다. 현실의 칼바람 또한 그에 못지않다. 경기는 불황의 늪으로 빠져들고, 시대는 우울의 터널로 진입한다. 젊은이는 '헬조선'과 '이생망'을 외치고, 아버지들은 희망 없는 희망퇴직에 눈물을 감춘다.

시리고 추운 사람은 따뜻한 아랫목이 그립다. 인생의 아랫목이 언제였던가. '초록물고기'를 잡던 어린 시절로 돌아갈 수 있을까. '박하사탕'을 나누던 순수를 찾아 다시 시작할 수 있을까. 철길 위에서 "나 다시 돌아갈래!"를 절규하지만 처절하게 부서질 뿐이다.

돌아갈 수 있는 과거는 없다. 아늑해 보여도 추억 속의 신기루일 뿐이다. 향수는 잠시의 위안일 뿐, 어긋나버린 시간을 되돌릴 순 없다. 현실에서 답을 찾아야 한다. 척박한 오늘 속에 길을 내고 우물을 파야 한다. 내일을 결정하는 것은 어제가 아닌 오늘이다. "예전의 일들을 기억하지 말고 옛날의 일들을 생각하지 마라. 보라, 내가 새 일을 하려 한다. … 정녕 나는 광야에 길을 내고 사막에 강을 내리라" (이사 43,18-19)

(2016.01.31)

그날 아무 말도 하지 않았다

며칠 전 평화방송의 법인 이사회가 열렸다. 신입사원 한 명의 채용 문제가 뜨거운 쟁점이었다. 회의는 결론을 내리지 못했다. 석 달 후 임시 이사회를 열어 다시 논의하기로 했다.

감히 이사회 안건으로까지 오른 신입사원의 정체는 무엇일까. 그의 이름은 오메가팍스(OmegaPax), 인간이 아닌 로봇이다. 인공지능을 갖추고 기사를 척척 써내는 로봇 기자다. 9년 전(2016년) 화려하게 등장한 알파고(AlphaGo)가 그의 할아버지뻘이다. 당시 알파고는 세계 바둑의 최고수 이세돌 9단을 가볍게 물리쳤다. 그것은 직관과 추론, 창의성의 영역에서도 인공지능이 인간보다 우월함을 입증한 충격적인 사건이었다.

그 후로 인공지능은 대세가 됐다. 여러 분야에서 빠르게 인간의 지적 활동을 대체했다. 증권업계의 애널리스트는 10%만 살아남았다. 온갖 투자정보를 분석하고 예측까지 해내는 로봇 애널리스트를 당할 재간이 없었다. 법률시장과 의료시장도 마찬가지였다. 모든 법률과 판례를 학습한 로봇 판사가 공정한 1차 판결을 담당했다. 대형 병원은 로봇 닥터를 도입해 질병 진단과 처방에 활용하고 있다.

로봇 기자는 전 세계 주요 신문과 방송의 기사를 모조리 섭렵한 무서운 녀석이다. 처음에는 날씨나 증시, 스포츠 기사를 주로 쓰더니, 이제는 사설이나 칼럼까지 써내는 초능력을 선보이고 있다. 보도자료를 기사로 바꾸는 것쯤은 일도 아니다. 그동안 축적된 자료를 바탕으로 새로운 요소를 찾아내 기사의 중요도를 평가한다. 돋보이는 첫 문장을 뽑고 제목까지 정해 기사를 송출하기까지 단 몇 초밖에 안 걸린다. 그렇게 쓴 기사를 인공음성으로 녹음해 방송 리포트도 만들 줄 안다. 더구나 이 녀석은 24시간 쉬지 않고 일한다. 한밤중에도 전자우편을 읽어 들이고 외신을 번역해 누리집에 기사를 올린다.

오메가팍스는 가톨릭 선교 매체에 특화된 로봇이다. 창간 이후 평화신문과 평화방송의 모든 기사가 입력돼 있다. 해외 가톨릭 언론사의 기사도 대부분 저장하고 있다. 성경은 물론 교황청이 발표한 각종 문헌도 빠짐없이 꿰고 있다. 이를 토대로 어떤 주제의 기사든 훌륭하게 써낸다. 제조사 측은 이미 6개월 전에 이 로봇을 무료로 제공했다. 이제 시험 운용이 끝나고 구매 여부를 결정해야 하는 것이다.

법인 이사회에는 두 가지 자료가 보고됐다. 하나는 로봇이 쓴 기사와 '사람' 기자가 쓴 기사를 비교한 자료다. 사제와 신자 각각 250명에게 어느 기사가 더 나은지 물었다. 작성자를 감췄더니 78%가 로봇 기사를 골랐다. 또 한 가지는 경영개선 효과였다. 로봇기자 채용으로 기자 인력 20명 이상을 대체할 수 있다는 분석이었다. 도입 비용을 고려해도 3년 후부터 매년 10억 원 이상의 경비 절감이 가능하다는 보고였다.

법인 이사들의 의견은 엇갈렸다. 복음 선교마저 로봇에게 맡길 수는 없다는 주장과, 교구의 재정적자를 줄여 사회 사목 분야에 더 많은 관심을 쏟아야 한다는 의견이 팽

팽히 맞섰다. 이사회는 고민 끝에 결정을 보류했다. 대신 평화방송 보도국에 특별한 주문을 내놓았다. “앞으로 로봇 기자가 써낼 수 없는 독특하고 창의적인 기사를 쓰도록 하십시오.” 2025년 봄 평화방송의 법인 이사회는 그렇게 끝났다. 그날 우리는 퇴근길에 소주잔을 기울였다. 모두가 별로 말이 없었다.

(2016.03.20)

세월호를 잊고 싶은 우리

아아, 다시 오는가. 기억하고 싶지 않은 그 날, 할 수만 있다면 건너뛰고 싶은 그 날이 또 오는가. 아픈 상처를 들쑤시고 가슴 먹먹한 슬픔을 일깨우는 날, 도저히 인정할 수 없는 우리 자신의 무능과 무책임을 민낯으로 마주해야 하는 날, 저 4월 16일이 기어이 오는구나.

지난 2년 동안 달라진 게 무엇일까. 아직도 아홉 혼령은 애처로이 떠돌고 진실은 뒤집힌 채 바닷속에 처박혀 있다. 진상이나 책임 규명은 여전히 그날 그 언저리를 맴돈다. 허둥지둥하며 골든타임 다 놓치고 꽃다운 생명을 수장시킨 우리는 그 후로도 별로 달라지지 않았다. 그때 뻔뻔했던 이들은 지금도 두꺼운 낯으로 책임을 떠넘기고 진실의 눈을 가린다. 탐욕에 눈먼 자들은 여전히 게걸스러운 식욕으로 돈과 권력을 좇으며 불법과 편법을 넘나든다.

사고 후 두 달이 안 된 6월 초에 지방선거가 있었다. 정당들은 앞다퉈 '잊지 않겠습니다'를 외쳤다. 대통령은 '국가 개조'를 약속했다. 지금 2주기를 앞두고 또 한 번 선거를 치렀다. 아무도 세월호를 말하지 않았다. 이제 서울에서 애도의 흔적을 찾기는 쉽지 않다. 서울시청 외벽에 걸린 추모 리본이 쓸쓸하다. 왜 우리는 오늘 거리마다 나부끼는 노란 리본을 볼 수 없는가.

겨우 2주기를 맞았을 뿐인데 우리는 세월호를 두려워한다. 충분히 슬퍼하지도 못했으면서 도망치고 싶어 한다. 진실은 미궁을 헤매고 있는데 이젠 그만 잊고 싶어 한다. 더러는 '세월호 피로 현상'을 말한다. TV 뉴스를 보다가 채널을 돌린다. 이것이 정녕 우리의 모습인가.

감당할 수 없는 슬픔 앞에서 도피의 구실을 찾는 것은 우리가 매몰찬 악인이어서가 아니다. 그것은 우리가 그만큼 약한 존재라는 고백일 뿐이다. 연민은 여리고 아픈 마음이어서 오래 품고 있기에는 너무 쓰리다. 우리는 연민의 속살 위에 무감각의 껍질을 씌워 스스로를 보호한다. 그렇게 무뎌진 마음으로 살아남은 자의 삶을 사는 것이다.

그러므로 세월호를 잊지 말자는 호소나 이젠 그만 잊고 싶다는 마음은 사실 뿌리가 같다. 큰 슬픔 앞에 무너지지 않으려는 나약한 인간들의 몸부림인 것이다. 그럼에도 불구하고 우리는 세월호로부터 도망쳐서는 안 된다. 아무것도 바꾸지 못한 채 이대로 망각의 강을 건널 수는 없다.

지금 바로 해야 할 일이 있다. 세월호의 의인들을 기리는 일이다. 세월호에는 자신의 목숨을 바쳐 다른 생명을 구한 의로운 영웅들이 여럿 있었다. 그들은 탐욕과 불법과 무능으로 버무려진 세월호에 피어난 아름다운 꽃이다. 인간이 절망 앞에서 얼마나 위대할 수 있는지를 입증한 찬란한 희망이다. 그들에 대한 우리의 기억과 조명은 충분치 못했다. 한두 번 언론 보도로 지나칠 일이 아니다. 이 추악하고 부끄러운 사고에서 그나마 우리 스스로를 위로하고 치유할 수 있는 유일한 길이 그들에게 있다.

세월호는 우리 사회의 온갖 부조리가 녹아 있는 대한민국호의 축소판이다. 충격이 큰 만큼 그 수습과 해결에도 긴 시간이 필요하다. 선체를 인양하고 피해보상을 마치는 것으로 이 사건을 마무리할 순 없다. 제대로 된 진상규명은 정권이 바뀌기 전에는 힘들지도 모른다. 세월이 흐르면서 문학으로 예술작품으로 승화될 것이다. 그런 내면의 치유 과정까지 밟아야 우리는 세월호로부터 자유로울 수 있다.

(2016.04.17)

지하철 정거장에서

지하철 정거장에 우두커니 섰다. 지축을 울리며 열차가 들어온다. 밝음과 어둠이 엇갈린다. 사람들의 얼굴이 유령처럼 스친다. 땀 내음 섞인 공기를 토해내고 열차는 떠난다. 무표정하거나 지친 얼굴로 사람들이 흩어진다.

2호선 구의역은 지상철이다. 그곳엔 강변의 바람이 분다. 열차는 바람을 몰고 왔다가 바람을 일으키며 떠난다. 열차와 안전문 사이 한 뼘의 거리가 있다. 그 허공 어딘가에 영원으로 통하는 바람길이 있었다. 아아, 너는 바람 속으로 사라졌구나.

구의역은 또 하나의 세월호다. 파도와 바람 사이로 탐욕이 널름거린다. 20년 낡은 배를 들여와 증축으로 적재량을 늘렸다. 평형수를 빼고 짐을 더 실었다. 구의역 사고는 지하철 정규직의 착취다. 외주업체를 차려놓고 특혜와 특권을 누렸다. 귀족들은 위험한 일을 하지 않았다. 할 줄도 몰랐다. 값싼 계약직이 그 일을 대신했다. 그나마 턱없이 모자랐다. 그들은 책임을 분사했고 죽음을 외주했다.

그때도 미안했고 지금도 미안하다. 그 반복이 또 미안하다. 구조할 수 있는 시간에 허둥거렸다. 선장이 도망치는 시간에 '가만히 있으라'고 했다. 찰나의 순간에 부서진 김 군은 차라리 고통 없이 갔을까. 그는 컵라면과 함께 한 달에 100만 원씩 다섯 달 치 적금을 남겼다.

세월호 아이들과 김 군은 동갑내기다. 김 군이 2년을 더 살았을 뿐. 시대의 비극을 증언하는 주연을 맡았다. 어른들이 만든 병든 사회를 온몸으로 부르짖고 갔다. 1997년생은 이제 막 대학생이 되었거나 사회에 첫발을 내디뎠다. '알바'를 하거나 구직을 하고, 용케 취업도 했을 것이다. 그들 앞에는 또 어떤 슬픔과 아픔이 기다리고 있을까. 대한민국의 호시절은 세월호와 함께 침몰해버렸다. 이제 길고 어두운 저성장의 터널 속으로 진입한다. 부모 세대보다 가난하게 살아야 할 첫 세대라는 우울한 전망이 제발 그들을 비켜 가기를.

열차가 들어와 한 무리의 승객을 쏟아놓았다. 50대로 보이는 남자가 9-4 유리문 앞에 섰다. 성호를 긋고 한참을 고개 숙였다. 빼곡히 붙은 추모 메모지를 찬찬히 읽는다. 메모지는 8-3으로, 10-2로 넘쳐났다. 아래층 4번 출구 쪽에는 추모 게시판과 테이블이 있다. 국화꽃 사이로 반찬이 골고루 담긴 도시락 하나가 눈에 띄었다.

누군가는 책을 두고 갔다. 『전태일 평전』 스물둘에 불꽃이 된 청년의 이야기. 또 한 권의 책이 보였다. 『복음의 기쁨』 그 책 어딘가에 이런 구절이 있을 것이다. "오늘날 모든 것이 경쟁의 논리와 약육강식의 법칙 아래 놓이게 되면서 힘없는 이는 힘센 자에게 먹히고 있습니다. 그들에게는 일자리도, 희망도, 현실을 벗어날 방법도 없습니다. 인간을 사용하다가 그냥 버리는 소모품처럼 여기고 있는 것입니다."(53항)

0시 02분. 마지막 열차가 들어왔다. 고단한 하루를 마친 사람들이 바삐 흩어졌다. 검은 리본을 단 직원이 철문을 내렸다. 역사는 어둠에 잠겼다. 창살 너머로 추모 게시판이 덩그러니 남았다.

허전한 마음에 그냥 걸었다. 얼마쯤 걷다 보니 구의동 성당이다. 이 시각 교회는 깨어 있을까. 겟세마니에 이른 스승이 제자에게 당부한 것도 아마 이 시각쯤일 것이다. 우리는 시대의 고통과 슬픔에 함께하고 있을까. 성모상 앞에는 장미꽃 한 다발이 놓여있었다. 꺼지지 않은 촛불이 몇 개 일렁거렸다.

(2016.06.12)

고시촌의 밤하늘

아들아, 시험공부 하느라 고생이 많겠구나. 봄꽃이 화려했던 지난 몇 달 동안에도 너는 고시원의 좁은 방에서 오직 책만 들여다보고 지냈겠지. 엄마가 반찬 해서 갔다 와서 네 소식은 들었다. 얼굴 본지 반년이나 되는구나. 엄마가 같이 올라가자고 하는 걸 바쁘다는 핑계로 안 갔다. 너의 그 한 평 남짓한 고시원 독방이 어떤 모습일지 안 봐도 눈에 선하다. 마음 아플까봐 일부러 안 갔다. 너도 20대 후반이니 충분히 이해하리라 믿는다.

아들아, 시험이 며칠 남지 않았구나. 아비는 물론 네가 올해나 내년쯤 합격 소식을 전해 올 것으로 믿는다. 부디 용기 잃지 말고 정진해라. '젊어 고생은 사서도 한다'는 말은 옛말이어서 하고 싶지 않다. 다만 목표를 위해 치열하게 노력한 시간은 네 인생의 소중한 자산이 될 것이다. 결과에 연연하지 말고 과정 자체를 소중히 생각해라.

공무원시험 준비생이 40만 명이 넘는다는구나. 이번 서울시 공무원 시험 경쟁률이 평균 87대 1이라고 하더라. 특히 네가 응시하는 일반행정 7급은 288대 1이라니, 이 정도면 합격이 오히려 기이한 일이다. 아비는 젊은이를 이런 '공시' 광풍으로 내모는 이 시대가 정녕 비정상이라고 생각한다. 우리가 살아온 시대도 만만치는 않았다마는 그래도 서울 가서 몇 년 고생하면 세간 장만하고 결혼도 할 수 있다는 확신은 있었다. 젊은이에게 꿈과 희망을 앗아간 이 시대가 못내 원망스럽다마는 어쩌겠느냐. 시대와 싸우고, 분노하고, 바꿔내야 하는 것은 또 너희 세대의 몫일 수밖에 없겠구나.

아들아, 얼마 전 공무원 시험 응시자가 정부 청사에 몰래 들어가 시험성적을 조작했다가 붙잡힌 사건을 너도 알고 있을 것이다. 1년 동안 가족을 속이고 거짓 공무원으로 살다가 끝내 세상을 버린 사람도 있었다. '곡성의 비극'을 부른 저 안타까운 투신도 있었다. 지난해 세상을 놀라게

했던 '수영장 몰카 사건'의 공범도 노량진 고시촌의 낭인이었다. 죄를 묻기에 앞서 맘이 짠하다. 시험에 오래 매달리다 보면 몸도 마음도 허약해지고 별별 이상한 생각에 빠질 수 있다. 너는 적어도 어느 해까지 시험에 도전할 것인지 마음속에 분명히 선을 그어 놓기 바란다.

내 보기에 빗나가는 사람들은 다들 부모님 뵐 면목이 없어서 가족에게 돌아가지 못하고 계속 고시촌을 떠돌다가 잘못된 길로 빠져드는 것 같다. 너는 심성이 반듯하니 아무 걱정 안 한다마는 우리 모두 너의 귀향을 기뻐할 것이라는 점만은 말하고 싶구나. 어느 순간 목표를 이루기 어렵다고 생각되면 언제든 미련 두지 말고 내려와라. 한두 해 쉬면서 새로운 진로를 생각해 보는 것도 괜찮다. 안정된 공무원만 최선이더냐. 어디에도 얽매이지 않는 자유로운 영혼의 길도 그 못지않게 소중하다.

아들아, 가끔 눈을 들어 하늘을 보며 살아라. 고시원에서 나와 보면 63빌딩도 보이고 123층 타워의 불빛도 보이지? 그거 다 부질없는 바벨탑이다. 그 꼭대기에 탐욕과 사치는 있을지언정 고결한 인간이 지녀야 할 온유와 겸손, 사랑과 감사, 나눔과 섬김 같은 덕목은 없을 것이다. 주일

미사 빠지지 말고, 빵 한 조각을 놓고도 경건히 기도하던 습관을 잃지 마라. 어려서부터 아비와 함께했던 새벽 산책도 계속하고. 너는 어려서부터 존재 그 자체로 우리의 기쁨이었다. 엄마 아빠가 언제나 너의 편이라는 것을 잊지 마라. 못난 아비가.

(2016.06.26)

영광과 좌절의 변주곡

농구선수는 키가 커야 한다. 160cm의 키로 걸출한 농구선수가 될 수는 없다. 키는 농구선수의 성패를 가름하는 중요한 요인이다. 공부를 잘하려면 머리가 좋아야 한다. 지능지수가 두 자릿수인 사람이 수석을 하고 명문대에 가기는 어렵다. 그가 탁월한 연구 성과로 노벨상을 탈 확률은 아예 영에 가깝다. 운동이든 예술이든 학문이든 마찬가지다. 비범한 성취를 이룬 사람은 대개 그 분야의 천재들이다. 마이클 조던이 그렇고 아인슈타인이 그렇다.

그러나 우수한 재능이 곧 성공으로 이어지진 않는다. 키가 크다고 다 농구를 잘하는 것도 아니다. 머리가 좋다고 누구나 노벨상을 타지는 못한다. 재능이 어느 선을 넘어서면 그때부터 중요해지는 것은 노력이다. 모든 성공의 이면에는 피나는 노력이 숨어 있는 법이다. 부족한 재능을 끈기와 노력으로 극복한 사례는 얼마든지 있다. 반대로 뛰어난 천재가 노력 없이 정상에 서는 경우는 극히 드물다. 이것은 천재 집단의 일생을 관찰한 여러 실험에서 거듭 확인된다. 어느 분야에서든 세계 최고가 되려면 1만 시간의 연습이 필요하다. 어느 신경과학자가 도달한 결론이다. 이 정도의 노력 없이 세계 수준의 전문가가 된 경우는 찾을 수 없었다. 1만 시간이면 대략 하루 세 시간씩 꼬박 10년을 바쳐야 한다. 이번 올림픽에서 메달을 따낸 우리 선수들도 그럴 것이다. 그들이 흘린 땀의 양은 아마 1만 시간의 항아리를 두세 번 채우고도 남을 것이다.

그런데 재능과 노력만 갖추면 누구나 성공할 수 있을까. 이 또한 그렇지 않으니 세상은 참 미묘하다. 만일 성공이 재능 순이라면 지능지수 높은 순서대로 좋은 대학 좋은 자리 다 차지할 것이다. 노력한 만큼 거둔다면 연습 시간을 따져 메달 순위를 정하면 된다. 재능에 노력을 더해도 누구는 금메달을 따고 누구는 예선 탈락의 고배를 마신다.

재능과 노력은 성공을 보장하지 않는다. 다만 성공 가능성을 보장할 뿐이다. 성공은 그에 더하여 보이지 않는 또 다른 변수가 맞아떨어져야 한다. 그 또 다른 요인이 무엇인지 한 마디로 설명한 이론은 없다. 딱히 측정하기 어려운 환경적 문화적 심리적 요소의 결합이다. 시공간의 영향과 우연성이 개입한다. 그래서 어떤 이는 행운의 여신을 내세우고, 다른 이는 신의 은총을 말한다.

스포츠의 메달도 인생의 성공도 결코 계산대로 되진 않는다. 세상은 예측할 수 없기에 신비롭다. 인생은 성적순이 아니기에 오히려 살만하다. 우리는 다만 스스로 재능이 있는 분야를 찾아서 끊임없이 노력할 뿐이다.

인생에는 정답이 없다. 영광은 올 수도 있고 비켜 갈 수도 있다. 그것이 인생이다. 정답을 모른다는 것이 이 묘연한 세상의 맛과 멋이다. 욥은 흠 없고 올곧은 사람이었지만 감당하기 어려운 고통과 시련을 겪었다. 그것이 신의 뜻이었다.

최선을 다해도 결과가 좋지 않을 수 있다. 그 좋고 나쁨 또한 인간적 판단이다. 진정 무엇이 좋은지 우리는 모른다. 영광 뒤에 시련이 도사리고 있고, 좌절 속에 희망이 숨어 있다. 그러므로 지혜로운 이는 인생의 부침에 일희일비

하지 않는다. 다만 겸허히 기도할 뿐이다.

축제가 막을 내렸다. 이변과 파란이 있어 더욱 즐거웠다. 젊은 그대들 모두 훌륭했다. 진한 감동과 더불어 불굴의 용기까지 선사했으니 그로써 충분히 아름답다. 한여름 밤의 불꽃이 꺼졌으니 이제 인생의 무대에서 반전을 꿈꾸자.

(2016.08.21)

그들만의 러브샷

인간은 본래 이기적 존재다. 무릇 생명체가 다 그렇다. 생존은 곧 자기 보호를 뜻한다. 살아남으려면 이기적이어야 한다. 자기중심적 사고와 행동이 절대적으로 유리하다. 물렁한 사람은 늘 당한다. 쓸데없이 온정적인 사람은 경쟁 사회의 패자가 된다. 생존은 치열한 투쟁이다. 속이고 빼앗고 때론 죽여야 한다.

보라. 이기적 인간이 살아남는다. 배가 침몰할 때 승객을 버려두고 먼저 탈출한 선장은 제 목숨을 구했다. 제자를 구하겠다고 머뭇거린 스승은 끝내 숨졌다. 회사가 망할 때는 알짜 재산을 빼돌리고 소문나기 전에 주식도 내다 팔아야 한다. 그렇게 손을 턴 회장님은 금쪽같은 재산을 지켰다. 그 회사 선박과 선원들은 지금 수십일 째 바다 위를 떠돌고 있다.

나라가 망했을 때 독립운동 하는 것은 어리석은 짓이다. 자칫 목숨을 잃을 수 있다. 미혼이면 후손을 남길 수 없고, 기혼이라면 가족의 생계가 끊긴다. 그렇게 풍비박산 난 집안은 오랫동안 허우적거린다. 차라리 침략에 굴복하고 수탈에 협력하는 게 현명하다. 출세와 영달, 가문의 번성을 보장받는다. 독립운동? 누군가 하겠지. 나중에 그 과실을 같이 누리면 된다.

그런데 참 이상하다. 이처럼 손익계산이 분명한데도 종종 정반대로 행동하는 이들이 있다. 불이 난 빌라에서 뛰쳐나왔다가 이웃들을 생각해 다시 들어간다. 집집마다 문을 두드려 잠을 깨우고 끝내 연기에 질식해 쓰러진다. 성우를 꿈꾸던 스물여덟 청년이 그렇게 스러졌다. 위기의 순간에 이타심을 발휘한 의인들은 결코 드물지 않다. 타이타닉호에는 마지막까지 배를 지키며 승객들을 대피시킨 장렬한 의인들이 있었다. 아우슈비츠 수용소에서 다른 사람을 대신해 기꺼이 죽음을 받은 사제도 있다.

이기적 인간이 어떻게 이타적으로 행동할 수 있을까. 저들의 숭고한 이타심은 어디에서 솟아나는가. 애초의 전제가 틀렸다. 인간의 본성은 결코 이기심만으로 설명되지 않는다. 우리에게는 개인의 이기심을 억누르는 이타심이 분명 존재한다. 인간은 사회적 동물이다. 홀로 살지 않고 무리를 지어 산다. 공동체의 존재는 개인의 생존과 직결된다. 구성원들은 협력을 통해 공동체를 지키고 때론 희생을 통해 이웃을 구한다. 인류는 그렇게 이타심을 키워왔다.

그러므로 이기심과 이타심은 우리 안의 두 본성이다. 서로 갈등하며 엇갈린 길을 제시한다. 이기심을 따를 때 그 개인은 분명 이득을 본다. 대신 그가 속한 사회는 치명적 피해를 겪는다. 그런 구성원이 많은 사회는 끝내 경쟁에서 뒤처질 수밖에 없다. 반대로 이타적 행동은 공동체의 안녕을 담보한다. 개인의 고귀한 희생을 딛고 일어선 공동체는 경쟁에서 살아남아 그 번영의 과실을 구성원 모두에게 안겨준다.

결국 이타성이 사회를 지킨다. 명예와 도덕과 양심을 소중히 여기는 의인들이 공동체를 떠받친다. 지도층이 사회적 책임을 팽개치고 제 잇속만 차리는 공동체는 안으로부터 무너져 내린다. 잘나고 똑똑한 이들이 끼리끼리 어울려 그들만의 잔치를 벌일 때 균열은 시작된다. 권력층의 아들이 꽃보직을 누리고, 돈과 권력이 서로 부둥켜안고 '러브샷'을 외칠 때, 미래의 의인들은 하나둘 등을 돌린다. 마지막 열 명의 의인마저 찾을 수 없었을 때 소돔과 고모라는 무너졌다. "바탕까지 허물어지는데 의인인들 무엇을 할 수 있으랴?"(시편 11,3)

(2016.10.09)

거짓의 식탁

그리스 섬 크레타는 유럽 최고(最古)의 미노스 문명이 싹튼 곳이다. 이곳 사람들에 대한 세간의 평판은 좋지 않았다. 사도 바오로는 이렇게 전한다. "크레타 사람들은 언제나 거짓말쟁이, 고약한 짐승, 게으른 먹보들이다."(티토 1,12) 이것은 바오로의 말이 아니다. "그들 가운데 한 사람, 바로 그들의 예언자가 이렇게 말했다"고 소개한다.

바오로가 가리킨 '그들의 예언자'는 아마 에피메니데스일 것이다. 그는 크레타 출신의 철학자였다. 실제로 "모든 크레타인은 거짓말쟁이"라고 말했다. 여기서 저 유명한 역설이 등장한다. 그의 말대로 모든 크레타인은 거짓말쟁이일까. 그러면 이 말을 한 에피메니데스도 거짓말쟁이가 된다. 그러므로 그의 말은 거짓이 된다. 즉 '모든 크레타인은 거짓말쟁이'라는 말은 진실이 아니다. 그럼 모든 크레타인은 정직할까. 그러면 이 말을 한 에피메니데스도 정직한 사람이 된다. 그러므로 그의 말은 참말이다. 즉 '모든 크레타인이 거짓말쟁이'라는 말은 진실이다. 그러니 대체 무엇이 참인가. 크레타인은 거짓말쟁이인가 아닌가. 진실과 거짓이 서로 꼬리를 물고 도니, 과연 진실은 어디에 있는가.

크레타인은 대체 얼마나 거짓말을 잘했기에 이런 평판을 남긴 걸까. 그런데 여기 낯부끄러운 지적이 있다. "한국인은 숨 쉬는 것처럼 거짓말을 한다." 얼마 전 일본의 한 매체가 보도한 내용이다. 이 매체는 한국 경찰청의 통계를 제시하며 한국을 "세계 제일의 사기 대국"으로 몰아세웠다. 인용된 통계를 보면 한국의 사기 · 위증 · 무고죄는 일본의 66배, 인구 비례를 적용하면 165배에 이른다. "나라 전체가 거짓말 학습장으로, 대통령 등 사회 지도층이 대담하게 거짓말을 한다"라고 썼다. 악의적인 기사지만 아픈 곳을 정확히 찔렀다. 서로 다른 사법 문화를 내세워 해명할 순 있지만 구차한 변명은 도움이 되지 않는다.

"하늘을 우러러 한 점 부끄럼이 없다." 어느 공직자가 이렇게 말한다. 그리고 얼마 후 그는 구속되고, 법정에서 유죄판결을 받는다. 그는 대체 무얼 믿고 하늘을 들먹였을까. 돈과 권력을 좇는 비루한 눈에는 하늘이 잿빛으로 보였을까. "그들은 거짓을 말하도록 제 혀를 길들이고 죄에 무디어져 잘못을 뉘우치지도 못한다."(예레 9,4)

누구나 거짓말을 할까. 아마 그럴 것이다. 너도 그렇고 나도 그렇다. 그러니 우리 서로 거짓말에 면책을 주자. 이렇게 말할 수 있을까. 그러면 우리는 영원히 서로 속고 속이며 살자는 뜻이 된다. 개인의 거짓말과 공적인 영역의 거짓말은 엄격히 구분해야 한다. 고위 공직자가 국민을 상대로 태연하게 거짓을 말하는 나라, 대한민국을 그런 거짓말 공화국으로 만들 순 없다. 지도층의 거짓말에 특히 엄격한 잣대를 들이대야 하는 이유가 여기 있다.

또다시 낯익은 풍경이 펼쳐지고 있다. 돈과 권력이 부둥켜안고 질펀한 술판을 벌였다. '비선 실세'와 '황태자'가 노래를 부르고, 재벌과 관료가 몸을 비비고, 대학 총장과 교수가 탬버린을 흔든다. 대한민국의 권력층, 고위층, 부유층, 지식층이 흐느적거리며 몸을 꼬았다.

파티는 끝나고 날은 밝았다. 이제 해장의 시간이다. 거짓의 식탁을 차려야 한다. '문화 융성'과 '비인기 종목 육성'과 '신산업 융합'이 화려한 고명을 얹은 채 식탁에 올랐다. 누군가 꾸역꾸역 토악질을 해댄다. "보라, 죄악을 잉태한 자가 재앙을 임신하여 거짓을 낳는구나."(시편 7,15)

고위 공직자의 도덕성을 둘러싼 의혹이 잇따르고 있다. 누가 봐도 대한민국 수재요, 우리 사회 0.001%에 속하는 권력층이다. 공직자는 진실을 밝힐 수 없을 때 차라리 침묵해야 한다. "사회 지도층이 대담하게 거짓말을 한다"라는 저 조롱, 부끄럽지 않은가. "나는 너희에게 말한다. 아예 맹세하지 마라."(마태 5,34)

(2016.10.30)

촛불의 미학

「성난 얼굴로 돌아보라(Look Back in Anger)」 이런 제목의 영화가 있었다. 1958년 영국에서 나왔으니 꽤 오래전이다. 강렬한 제목으로 인상에 남는다. 국내에서도 이 제목을 차용한 드라마와 영화가 나왔다. 원래는 존 오즈번의 희곡을 무대에 올린 연극이었다. 제2차 세계대전 후 유럽 사회를 짓누른 우울과 절망, 전후세대의 상실감, 젊은이들의 불안과 불만, 분노를 그려냈다. 이 작품은 '성난 젊은이들(Angry Young Men)'이라는 신조어를 낳으며 새로운 문화운동의 불을 댕겼다. 1960년대를 휩쓴 히피와 반전, 저항의 물결이 여기서 퍼져나갔다.

다시 분노의 시대인가. 세계 도처에 성난 얼굴들이 넘친다. 영국의 성난 민심은 브렉시트(Brexit)를 결정했다. 그들은 외친다. "영국이 먼저다." 세계화, 자유무역, 유럽통합, 이민정책에 파산선고를 내렸다. 프랑스, 스페인, 이탈리아도 다르지 않다. 대중의 분노에 편승한 극우나 극좌 세력이 지지율을 높인다. 미국 대통령 선거는 '분노한 백인들(Angry White)'이 향배를 갈랐다. 그들은 멕시코 국경에 장벽을 쌓겠다는 공약에 환호했다. 무슬림 입국을 제한하겠다는 인종차별 발언에 박수를 보냈다. 세계화의 이념을 앞장서 만들어낸 그들이 돌아서고 있다. 분노의 결과가 고립과 배척이라면 미래는 우울하다. 그런 분노는 인류에게 다시 한번 재앙을 안겨줄 수도 있다.

이 땅의 민초들도 오랫동안 분노를 축적해 왔다. 취업난과 실업률, 등록금과 전셋값, 지도층의 탐욕과 부패, 무기력한 정부, 비루먹은 정치에 넌더리를 낸다. 그 분노의 민심이 마침내 흘러넘쳐 거리로 쏟아져 나왔다.

분노는 하나인 듯 여럿이다. 분노의 감정을 프리즘에 투영하면 환멸, 절망, 회의, 허탈, 슬픔이 배어 나온다. 분노가 촛불이 되면 다시 기도가 되고 희생이 되고 어둠을 몰아내는 빛이 된다. 촛불을 옮겨 붙일 때 그것은 연대가 되고 소망이 되고 사랑이 된다. 마침내 분노는 새로운 희망을 잉태한다. 거룩한 분노는 종교보다 깊어 정의로운 새날을 여는 불씨가 된다.

11월 어느 날 인왕산에 올랐다. 도심에서 들려오는 분노의 함성이 한양도성에 메아리쳤다. 분노가 촛불로 타오르더니 물결이 되어 거리를 휘돌았다. 서울광장에서 광화문으로, 경희궁을 지나 경복궁으로, 종각을 끼고 동십자각으로 흘렀다. 궁궐 앞에서 더는 흐르지 못한 촛불은 파도가 되어 일렁였다. 물인 듯 불인 듯 솟구치다 가라앉는 그 파동은 슬프도록 아름다웠다. 보라, 저 장엄한 분노를! 고립이 아닌 연대, 절망이 아닌 희망, 폭력이 아닌 평화, 슬픔이 아닌 축제로 승화한 촛불의 미학이 여기 있다. 찌꺼기를 태워버린 분노가 마침내 순백의 불꽃으로 피어났구나!

그날 어둠은 깊고 시간은 더디 흘렀다. 궁궐 안에도 촛불 하나 있어 외로운 밤을 지켰을까. 들리는가. 촛불은 소멸을 일깨운다. 세상 모든 것은 녹아내리고 무너진다. 영원한 것은 아무것도 없다. 권세도 영화도 때가 되면 불꽃이 사그라지듯 허공 속으로 소멸한다. "그것들은 헛것이요 조롱거리니 그들이 벌을 받을 때에 그것들도 사라지리라."

(예레 10,15)

어둠 깔린 산자락은 쓸쓸했다. 바람이 낙엽을 쓸어가며 나지막이 속삭였다. "정녕 천 년도 당신 눈에는 지나간 어제 같고 야경의 한때와도 같습니다. 당신께서 그들을 쓸어내시면 그들은 아침 잠과도 같고 사라져 가는 풀과도 같습니다."(시편 90,4-5)

(2016.11.20)

닭을 위한 진혼곡

태어나서 한 번도 하늘을 보지 못했다. 시원한 바람도 쐬어 본 적 없다. 내 사는 곳은 무창계사. 창문이 없는 사육시설을 그렇게 부른다. 내가 딛고 선 발판은 흔한 종이 한 쪽보다 작다. 나는 모이를 쪼고 알을 낳는 일 말고는 아무것도 할 수 없다. 인간의 세상엔 해가 뜨고 별이 지는가. 여기선 강렬한 인공조명이 낮과 밤을 정한다.

이따금 계사의 문이 열릴 때 그 틈새로 세상을 본다. 그곳엔 구름이 흐르고 들판이 펼쳐지고 삽살개가 지나간다. 흔들리는 아카시아 잎을 볼 때는 내 가슴에도 바람이 인다. 아는가. 우리에겐 원래 왕족의 피가 흐른다. 일찍이 숲 속에서 알을 품어 천년 왕국의 탄생을 알렸다. 새벽을 깨우는 고고성은 감히 넘볼 수 없는 우리의 몫이었다. 이 땅에 오신 성자가 수난을 당할 때 제자의 마음을 흔들어 깨운 것도 우리 선조였다.

우리는 '볏을 가진 족속'이다. 붉게 솟아오른 수탉의 볏은 왕관보다 화려하다. 윤기 흐르는 깃털은 햇빛을 튕겨내고 꽁지깃은 휘어져 난초처럼 우아하다. 고개를 한껏 치켜든 채 늠름하게 걷는 수탉을 본 적이 있는가. 겁을 모르는 눈과 날카로운 부리까지 갖췄으니 가히 문무를 겸비했다. 성경에도 있지 않은가. '당당하게 발을 옮기는 것이 셋이 있으니, 동물의 왕 사자, 꼬리를 세우고 걷는 수탉, 양떼를 거느리고 가는 숫염소'(잠언 30,29-31)라 했다.

기억하는가. 우리가 홰를 치며 날아오르는 모습을. 한낮에 담장이나 지붕 위로 날아올라 금빛 울음을 토하면 한순간 우주가 숨을 멈추곤 했다. 우리의 수명 또한 잘 모르리라. 나는 산란계라 1년은 넘게 산다. 2년 채우기는 어렵다. 육계는 그저 한 달이 무섭게 팔려나간다. 행여 그것이 우리의 자연 수명이라 착각하진 말아다오. 야생에서 우리 종족은 20년 넘게 사는 일도 흔하다.

무슨 소용인가. 1년이든 한 달이든 무슨 차이란 말인가.

이 지옥 같은 창살 속에서 차라리 죽음이 우리를 구원하리라. 이제 거대한 떼죽음의 파고가 덮쳤으니 이것은 재앙인가, 축복인가. 정유년 닭의 해가 밝아오는데 당신들은 집단 도살의 광기를 부린다. 이른바 '살처분'의 이름으로 삼천만 마리 넘는 우리 일족에게 죽음을 안겼다.

나 이제 산 채로 구덩이에 떨어져 처음이자 마지막으로 하늘을 본다. 그토록 보고 싶던 하늘은 잿빛이더라. 진눈깨비 흩날리는 하늘에서 레퀴엠의 선율은 들리지 않더라. "훔치지도 않았는데 죽어야 한다 / 죽이지도 않았는데 죽어야 한다 / 재판도 없이 / 매질도 없이 / 구덩이로 파묻혀 들어가야 한다"(김혜순)

아아, 눈물 따윈 흘리지 않으리라. 차라리 당신들을 위해 기도하리라. 쏟아지는 흙비 속에서 나는 그분의 기도를 읊는다. "아버지, 저들을 용서해 주십시오. 저들은 자기들이 무슨 일을 하는지 모릅니다."(루카 23,34)

듣노라. "그는 우리의 병고를 메고 갔으며 우리의 고통을 짊어졌다. 그런데 우리는 그를 벌 받은 자, 하느님께 매 맞은 자, 천대받은 자로 여겼다. 그러나 그가 찔린 것은 우리의 악행 때문이고 그가 으스러진 것은 우리의 죄악 때문

이다. 우리의 평화를 위하여 그가 징벌을 받았고 그의 상처로 우리는 나았다."(이사 53,4-5)

두려워 말라. 너희 몸속에 내가 있노니 우리는 한 생명이다. 나는 '치맥'과 삼계탕과 계란찜으로 너희 안에 있고 빵과 포도주로 거듭나 다시 한 몸을 이룰 것이다. 이 겨울이 지나고 봄이 오면 죄악을 감춘 땅 위로 꽃 한 송이 피어나리니 그 선홍빛 꽃잎을 보거든 부디 이 순환의 법칙을 기억해다오.

(2017.01.22)

카인의 후예

카인이 아벨을 꾀어 들판으로 데려갔다. 그곳에서 아우를 죽이고 돌아왔다. "네 아우 아벨은 어디 있느냐?" 주님께서 묻자 반항하듯 잡아뗐다. "모릅니다. 제가 아우를 지키는 사람입니까?" 주님이 탄식했다. "네 아우의 피가 땅바닥에서 나에게 울부짖고 있다."

에덴에서 쫓겨난 아담과 하와는 두 아들을 두었다. 카인과 아벨이다. 맏이는 농부, 아우는 양치기가 되었다. 형은 동생을 질투했다. 주님의 총애가 동생에게 있다고 믿었다. 어느 해 제물을 바치던 날 의심은 확신으로 변했다. 성경은 카인이 "몹시 화를 내며 얼굴을 떨어뜨렸다"고 서술한다. 분노와 불만, 우울과 저항의 심리다. 그는 결국 인류

최초의 살인을 저지르고 만다.

카인과 아벨은 여러 표상으로 읽을 수 있다. 카인은 질투와 분노, 반항과 불복종, 폭력과 살인 같은 부정적 기질의 원형이다. 아벨은 그 반대편에서 선량하고 순박한 품성을 상징한다. 카인과 아벨이 공존하는 사회에서 승자는 언제나 카인이 된다. 카인의 음모와 술책 앞에서 아벨의 도덕과 양심은 늘 무력하다. 그래서 카인의 후예는 번성하고 아벨은 종종 후손조차 남기지 못한다.

진화론을 정립한 찰스 다윈에게도 쉽게 풀리지 않는 의문이 있었다. 인류의 진화 과정에서 늘 이기적 인간이 승리했을 텐데, 어떻게 인간은 도덕성과 이타심을 보존할 수 있었을까. 생존과 경쟁에 도움이 되지 않는 저 불리한 품성들은 어떻게 도태되지 않고 살아남았을까. 그러니까 인류는 아마도 카인의 후예일 텐데 어떻게 마더 데레사나 콜베 성인 같은 이타적 인간이 나올 수 있을까. 어떻게 사랑은 증오를 이기고 여전히 우리 안에 살아있는 것일까.

다윈은 오랜 고민 끝에 한 가지 해답을 제시한다. 개체를 넘어선 집단을 보라는 것이다. 한 집단 안에서만 보면 분명 이기적 인간이 승리한다. 그러나 경쟁하는 두 집단이 있을 때는 결과가 달라진다. 이기적 인간이 많은 집단은 결코 희생적이고 이타적인 집단을 이기지 못한다. 다윈은 이렇게 말한다. "공동선을 위해 자신을 희생하는 사람이 많은 부족일수록 다른 부족을 압도하게 될 것이다. 이것이 자연선택일 것이다."

카인과 아벨의 형제 살해는 인류사에 되풀이되는 비극이다. 로물루스는 쌍둥이 동생 레무스를 죽이고 로마를 세웠다. 이후 로마 황실은 무수한 친족 살해로 얼룩진다. 이슬람 국가에서도 술탄이 즉위하면 그 형제들은 살해되거나 유폐되었다. 조선 왕조 '왕자의 난'은 드라마의 단골 소재다. 후계 구도를 다투는 궁궐에서 형제는 존재 그 자체로 가장 큰 적일 수밖에 없다.

'백두 혈통'의 장남 김정남이 몇 년째 해외를 떠돌다 결국 살해됐다. 세상은 이복동생 김정은을 주시한다. 그는 권력을 위협할 잠재적 대안 하나를 제거하려 했을 것이다. 집권 5년 동안 삼백 명 이상을 처형했다고 한다. 공포와 잔혹으로 얼마나 더 연명할 수 있을까.

아담은 뒤늦게 아들 하나를 더 얻어 그 이름을 셋이라 하였다. 창세기 5장은 아담 이후 노아까지의 족보를 보여

준다. 아담의 혈통은 카인도 아벨도 아닌 셋으로 이어진다. 셋은 아마도 카인의 기질과 아벨의 품성을 동시에 지녔을 것이다. 그러므로 우리는 착하면서도 악하고, 정의로우면서도 부도덕하며, 자비로우면서 동시에 잔혹하다.

카인은 눈앞에서 늘 승리하는 듯해도 그 공동체의 쇠락과 함께 도태된다. 아벨은 현실에서 종종 패배하지만, 공동체의 번성을 통해 살아남는다. 그러므로 사랑은 도태되지 않는다. 길게 보면 사랑이 이긴다. 인류사를 관통하는 사랑과 은총의 신비다.

(2017.02.26)

순명의 잔을 들고

스승이 말라비틀어진 나무를 심더니 말했다. "날마다 한 동이씩 물을 주어라." 그곳은 사막이었다. 샘은 너무 멀리 있었다. 제자는 저녁에 물 길으러 가서 새벽에야 돌아오곤 했다. 그렇게 3년이 흐르자 나무가 싹을 틔웠다. 곧 열매도 달렸다. 스승이 제자들을 불러 모았다. "여기 순종의 열매를 맛보게나."

순종은 아름다운 미덕이다. 그리스도를 따르는 이들에게 주어진 복음적 권고다. 구원의 은총을 얻고자 하는 사람은 마땅히 가슴 깊이 품어야 한다. 성덕을 지향하는 모든 종교가 마찬가지다. 만해 한용운은 복종을 예찬한다. "남들은 자유를 사랑한다지마는 나는 복종을 좋아하여요 /

자유를 모르는 것은 아니지만 당신에게는 복종만 하고 싶어요 / … / 그것이 나의 행복입니다"

순종은 쉽지 않다. 내 생각과 의지에 반하는 경우가 많다. 때론 나의 존재 의미마저 무너트려야 한다. 순종할만한 사람에게 순종하는 것은 당연하다. 그런 순종은 누구나 할 수 있다. 복음적 순종은 순종하기 어려운 상황에서 빛을 발한다. 도저히 수긍할 수 없는 결정에 기꺼이 순명하는 것이다. 불복의 마음마저 지우고 담백하게 받아들여야 한다.

현실적으로 순종의 대상은 대부분 나약하고 흠결이 많은 인간이다. 오해와 편견, 무지와 욕망 같은 인간적 약점에서 자유롭지 못하다. 수많은 그리스도인이 십자가 앞에서 눈물을 흘리며 질문했다. "당신에게라면 백번 죽어도 순종하겠습니다. 그러나 저 부족한 형제의 불합리한 결정에 꼭 순명해야 합니까?"

프란치스코 성인은 이런 답변을 남겼다. "입회한 지 한 시간밖에 안 되는 어느 수련자가 나의 원장이 된다면, 나는 그에게 노인이나 아주 생각이 깊은 사람에게 심혈을 기울여 복종하듯 그렇게 순종할 것입니다. 순명하는 형제는 장상 안에서 인간을 볼 것이 아니라 그리스도를 보아야 합니다." 순종은 어리석은 굴종이 아니다. 가장 낮은 곳에서 그분과 만나는 신비의 길이다.

순종과 비슷하면서도 다른 언어로 승복이 있다. 순종이 종교적 복음적 가치라면 승복은 세상과 현실의 언어다. 아름다운 승복은 순종만큼이나 진한 감동을 준다. 심판의 오심이나 편파 판정으로 금메달을 빼앗긴 선수가 웃음으로 손을 내밀어 승자를 축하한다. 그는 눈앞의 승리를 놓쳤지만, 인류 전체에 훨씬 더 고귀한 메달을 바쳤다.

미국의 정치라고 늘 좋은 모습은 아니다. 그러나 간혹 부러운 장면을 보여준다. 2000년 선거에서 앨 고어 후보는 54만여 표를 이기고도 대통령이 되지 못했다. 개표 부정 시비가 있었지만, 깨끗이 승복했다. 그리고 역사에 남을 명연설을 남겼다. "미국인의 단합과 미국의 민주주의를 위해 연방대법원의 결정을 수용한다. 당파심이 애국심을 앞설 수는 없다. 조지 부시 후보를 중심으로 뭉칠 것을 호소한다."

지난해 선거에서는 표차가 더 컸다. 클린턴이 트럼프보다 286만 표를 더 얻었다. 문제가 많은 선거였고 후유증이 이어졌다. 클린턴은 이렇게 말했다. “여러분이 느끼는 절망감을 나도 느낀다. 고통스럽다.” 그러면서도 승복을 강조했다. “우리는 트럼프에게 열린 마음으로 대하고, 나라를 이끌 기회를 줘야 한다.” 정치의 감동은 이런 것이다.

함부로 순종을 말하기 두려운 시대다. 세상은 순종을 비웃는다. 시대착오적인 노예근성으로 조롱한다. 승복은 어디로 숨었는가? 도처에 불신과 불복, 저주와 증오의 언사가 넘친다.

사순의 한복판을 지나며 순명을 생각한다. “아버지, 이 잔이 비켜 갈 수 없는 것이라서 제가 마셔야 한다면, 아버지의 뜻이 이루어지게 하십시오.”(마태 26,42)

순명의 잔을 들고 머뭇거리는 그대여, 기꺼이 죽어야 한다. 죽음 이후에야 부활도 오리니.

(2017.03.26)

시간은 공간보다 위대하다

바야흐로 봄이다. 삼동의 추위가 물러난 자리에 잎보다 먼저 꽃이 피었다. 개나리 진달래 벚꽃이 화려함을 뽐내고 목련은 순백으로 고결한 기품을 드러낸다. 은빛 햇살 속 꽃그늘에 서면 아찔한 향기에 잠시 정신을 잃는다.

4월은 꿈틀거리는 달이다. 봄비가 메마른 대지를 적시고 부드러운 바람이 뭇 가슴을 헤집는다. 열정에 들뜬 청춘은 밤새워 편지를 쓴다. 감미로운 추억과 불온한 욕망이 뒤섞인다. 알 수 없는 희열과 나른한 슬픔이 들락거린다. 격정과 탄식, 환희와 우울, 희망과 고뇌가 엇갈리는 미혹의 계절이다.

이 봄 한반도도 열병을 앓는다. 어느 날 갑자기 올림픽

단일팀이 구성되더니 설마 했던 남북정상회담까지 열린다. 서울에서 판문점에서 포옹과 악수가 이어진다. 평창에서 평양에서 화합과 통일의 노래가 울려 퍼졌다. 그 공연의 제목처럼 '봄이 온다.'

느닷없이 솟구친 이 봄기운의 정체는 무엇인가. 엊그제까지 험한 소리를 주고받더니 돌연 통 큰 화해로 돌아섰다. 공세적인 평화의 언어가 낯설고 당혹스럽다. 수줍은 사랑 고백도 없이 불쑥 다가온 청혼처럼 미심쩍고 놀랍다. 정말 믿어도 되는 것일까. 풋사랑에 달뜬 봄 처녀처럼 기쁘고 설레고 불안하다.

남과 북의 진정한 의도는 드러나지 않았다. 앞서 열린 두 번의 정상회담 합의문은 휴지 조각이 되었다. 금강산은 일방적인 횡포의 상징으로 남았다. 개성공단은 불신의 늪에 빠진 채 녹슨 잔해로 남았다. 돌이켜보니 남북 모두 속셈이 따로 있었다.

주변을 둘러봐도 그리 호의적이지 않다. 미 · 중 · 일 · 러 네 나라가 저마다 복잡한 계산을 굴리며 판세를 주도하려 한다. 저들은 분단과 대립에서 이득을 보려 하고 강력한 통일국가의 출현을 바라지 않는다. 5월까지 이어지는 숨 가쁜 외교무대에서 노골적인 압박과 훈수로 판을 흔들 것이다. 그 숱한 변수를 뚫고 정녕 역사의 봄을 맞을 수 있을까.

이 땅 4월은 아픈 좌절의 기억을 안고 있다. 4.3과 4.19로 피를 흘렸고, 짧았던 '서울의 봄'은 되돌린 반동으로 끝났다. 순백의 목련이 떨어질 때쯤 봄은 자욱한 황사 속으로 모습을 감춘다.

역사는 무심한 듯 뒤척이고 봄은 모른 척 꽃을 피운다. 시간은 인간의 의지를 무시하고 도도히 흐른다. 우리는 지금 또 한 번 변혁의 시간 속에 있다.

프란치스코 교황은 독특한 시간론을 펼친다. "시간은 공간보다 위대하다."(「복음의 기쁨」 222) 그는 공간을 현실로, 시간을 역사로 본다. 공간은 눈앞에 펼쳐진 세상이고 시간은 장대하게 열린 지평이다. 공간은 지금 이 순간의 모습이고 시간은 태초에서 영원으로 흐르는 물길이다.

시간은 공간보다 위대하다. 교황은 이것을 '국가 건설의 진전을 위한 첫째 원칙'이라고 말한다. 이때 공간은 현실을 지배하려는 권력이고, 시간은 역사의 진전을 추구하는 열망이다. 공간에 집착하는 사람은 조급해서 당장에 모든 것을 해결하려 한다. 시간을 우선하는 사람은 보다 먼 곳을 바라본다. 교황은 이 대목에서 권고한다. "걱정하지 마십시오. 확고한 신념과 끈기를 가지십시오."

이 땅에 새 시대가 열리려는가. 민족사의 새날이 오려는가. 죽은 땅에서 라일락을 피우는 저 약동의 힘을 믿는다. 또 한 번의 쓰린 기억은 단호히 떨쳐낸다. 겨레의 운명을 바꿀 역사의 시간을 앞두고 간절히 소망한다. 섣부른 기대는 금물이지만 마음을 모은 기도는 우리의 몫이다.

(2018.04.08)

세상에 참 평화 없어라

전쟁은 멈췄다. 그러나 평화는 시작되지 않았다. 포성은 멎었지만, 대포를 거두진 않았다. 이따금 총격을 주고받았다. 침투하고 습격하고 격침했다. 그렇게 수십 년째 대치하고 있다.

참호 속에도 고요는 있다. 교전 중에도 적막은 흐른다. 우리는 그것을 평화라고 부르진 않는다. 전쟁과 평화 사이의 어중간한 지점에 우리는 살고 있다.

휴전은 전쟁의 끝이 아니다. 단지 쉼일 뿐이다. 어느 한쪽이 삐끗하면 언제든 불을 뿜는다. 그러니 늘 경계하고 힘을 키워야 한다. 핵과 미사일을 개발하고, 전투기와 함정을 늘렸다. 군비경쟁은 또 하나의 전쟁이었다.

포연 속에서도 꽃은 핀다. 녹슨 철조망 위로 새들은 오간다. 골목을 뛰놀던 아이들은 시절을 모르고 자랐다. 그들은 휴전 중에 태어나 그 안에서 살았다. 어느새 예순을 넘겼다.

마침내 평화가 오려는가. 남북의 두 지도자가 공언했다. "한반도에 더 이상 전쟁은 없을 것이며, 새로운 평화의 시대가 열렸음을 8천만 우리 겨레와 전 세계에 엄숙히 천명한다." 이른바 '판문점 선언'이다. 채 잉크도 마르지 않았다.

믿어도 되는가. 저 극적인 선언을. 겨레의 가슴을 뛰게 한 다리 위의 산책을. 청딱따구리와 되지빠귀와 산솔새가 함께 엿들은 그들의 대화를. 그날 비무장지대를 스쳐 간 바람은 말해 줄 수 있을까. 민족의 운명을 걸머진 두 사내가 주고받았을 진실의 깊이를. 아아, 봄날의 산하를 보듬던 햇빛은 알고 있을까. 정녕 이 땅에 평화가 오려는가.

역시나 쉽진 않다. 반전과 파격, 흥분과 실망, 충격과 안도의 연속이다. 박차고 돌아서더니 손을 내밀었다. 판을 깨는 듯하더니 불씨를 살렸다.

여전히 길은 멀다. 끝날 때까지 끝난 게 아니다. 평화로 가는 길 곳곳에 암초와 매복이 도사리고 있다. 만남은 쉬워도 합의는 어렵다. 합의는 쉬워도 실천은 어렵다. 종전을 선언하고 안전을 보장해야 한다. 수교하고 협력해야 한다. 무기를 내려놓고 상생과 번영의 길을 찾아야 한다. "칼을 쳐서 보습을 만들고 창을 쳐서 낫을 만들리라."(이사 2,4) 그렇게 새 시대를 열어야 한다.

참 평화를 생각한다. 폭력과 억압으로도 질서는 가능하다. 강압적 지배로도 분쟁을 누를 수 있다. 그런 위협 속의 평화는 참 평화가 아니다. 공포와 불안 속의 평화는 거짓 평화다. 화염과 분노 앞에 움츠린 굴복은 언젠가 반격의 기회를 노린다.

"평화는 전쟁 없는 상태만도 아니요, 적대세력 간의 균형 유지만도 아니며, 전제적 지배의 결과도 아니다. 정확하게 말해서 평화는 정의의 실현인 것이다."(「기쁨과 희망」 78)

전략과 전술로는 온전한 평화에 이를 수 없다. 불의한 권력과의 악수도 진정한 평화는 아니다. 짓밟힌 인권을 외면한 평화는 악과의 타협일 뿐 평화가 아니다. 평화는 흥정의 결과로 오지 않는다. 이해타산의 절충으로 얻은 평화는 이익이 훼손되는 순간 언제든 깨진다.

참 평화는 마음에서 싹튼다. 그것은 신뢰를 먹고 자란다. 불신이 있는 곳에 평화는 뿌리내리지 못한다. 허위와 탐욕은 평화를 허문다. 독선과 배척은 평화를 해친다. 그러므로 부족한 인간의 세상에서 평화는 언제나 불완전하다.

"내 평화를 너희에게 준다. 내가 주는 평화는 세상이 주는 평화와 같지 않다."(요한 14,27) 참 평화는 은총이다. 그것은 진심 어린 기도로 온다. 인간애와 공동선을 향한 헌신 없이 평화는 오지 않는다. 평화는 사랑이며 정의이며 선이다.

(2018.06.03)

우리 곁의 이방인

아라비아반도 남서부의 예멘은 풍요와 번영의 땅이었다. 구약성경에 나오는 스바 왕국의 수도가 오늘날 예멘 남부였을 것으로 추정한다. 스바의 여왕은 솔로몬의 명성을 듣고 예루살렘을 방문한다. 이때 “엄청나게 많은 금과 보석”을 낙타에 싣고 왔을 정도로 영화를 누렸다. 자연환경도 뛰어나다. 원시림과 오아시스, 사막과 바다를 갖춘 아름다운 풍광을 자랑한다.

오늘날 이 나라는 전쟁과 기아의 땅이다. 정파와 종파가 뒤섞인 내전에 인접국이 개입하면서 중동의 패권을 둘러싼 대리전이 벌어지고 있다. 수만 명이 죽고, 수십만 명이 떠났다. 중동과 아프리카, 동남아에 발붙이지 못한 이들은 제주도까지 흘러왔다.

전 세계가 난민과 불법 이민 문제로 몸살을 앓고 있다. 이들을 맞는 시각은 점차 험악해지고 있다. 미국은 멕시코와의 국경에 장벽을 세웠다. 유럽에서는 난민을 거부하는 극우 정당이 높은 지지를 딛고 집권에 다가섰다.

우리라고 썩 다르지는 않다. 6월 20일은 유엔이 정한 세계 난민의 날이었다. 유엔난민기구 친선 대사로 활동 중인 어느 배우가 논란에 휘말렸다. 난민에 대한 관심을 촉구하는 글을 올렸다가 곤욕을 치르고 있다. 비난과 조롱의 댓글이 줄줄이 달렸다. 한 여론조사에서도 부정적 여론이 높게 나왔다. 난민법을 폐지해달라는 청원에는 50만 명이 서명했다.

현재 제주도에 머무르고 있는 예멘인은 500여 명이다. 정부는 이들에 대한 난민 심사를 진행하고 있다. 한국은 2013년 아시아 최초로 난민법을 시행했다. 그러나 실제 난민 인정 비율은 높지 않다. 신청자의 4% 정도만 난민 지위를 인정받았다. 인도적 체류 허가를 포함하면 10% 남짓이다.

프란치스코 교황은 줄기차게 난민에 대한 관심과 배려를 촉구해왔다. 취임 이후 첫 방문지도 이탈리아 람페두사

섬의 난민수용소였다. 교황은 그곳에서 우리의 무관심을 통탄했다. 고통을 함께 나누지 못하고 울음을 잃어버린 세태를 슬프게 질타했다. “우리는 바다에서 생명을 잃은 수많은 난민을 위해 어떻게 울어야 하는지도 모르고, 형제적 책임감도 상실했습니다.”

교황은 지난해에도 방글라데시에서 로힝야 난민을 직접 만났다. “오늘날 신의 존재는 곧 로힝야라 불립니다.” “당신들을 박해한 이들의 이름으로, 세계의 무관심에 대해 용서를 청합니다.”

현대인은 지구 위를 떠돌며 살아간다. 자본과 이윤을 좇아 부초처럼 흘러 다닌다. 삶이 곤궁한 이들은 이웃 나라에서 성공을 꿈꾼다. 전쟁과 억압을 피해 도망치기도 한다. 모두가 고향을 잃은 사람들이다. 현대의 이방인들이다.

21세기를 ‘신유목민 시대’라 했다. 미래학자 자크 아탈리가 붙인 이름이다. 지구촌을 떠도는 이방인이 2억 명을 넘는다고 한다. 우리나라에만도 200만 명을 웃돈다. 대부분 그 사회의 약자로 살아간다.

신유목민 시대의 필수 윤리는 이해와 관용이다. 자비와

사랑이다. 이방인을 이웃으로 받아들여야 한다. 우리 곁에는 이주노동자도 있고 새터민도 있다. 결혼 이민자도 있고 다문화 가족도 있다. 그들을 보는 우리의 시선은 좀 더 따뜻해져야 한다. 마음으로 함께하고 정을 나눠야 한다.

사실 예수 그리스도도 피난 가족 출신이다. 태어나자마자 피난길에 오른 난민이었다. 그분은 최후의 만찬을 앞두고 비유를 통해 말씀하셨다. "너희는 내가 나그네였을 때 따뜻이 맞아들였다."(마태 25,35)

(2018.07.01)

전체는 부분의 합보다 크다

하나 더하기 하나는 둘이다. 수학에서는 언제나 그렇다. 그러나 세상 만물이 다 그렇지는 않다. 특히 생명의 세계에서 1 더하기 1은 2가 아닌 경우가 많다. 대개 그 답은 2보다 크다.

생물은 분자, 세포, 조직, 기관, 개체, 개체군, 종에 이르는 위계 구조를 가진다. 분자가 모여 세포를 이루고 세포가 모여 조직을 형성한다. 그렇게 단계를 오를 때마다 전혀 새로운 특성이 나타난다. 과학자들은 이를 창발성이라고 부른다.

세포가 모여 조직을 이룰 때 그 조직의 특성은 세포와는 완전히 다르다. 뇌세포가 모여서 뇌를 이루지만 뇌의 기능과 역할은 뇌세포의 단순한 총합을 뛰어넘는다. 마찬가지로 개체가 모여 사회를 형성할 때 그 사회는 개체에 대한 지식만으로는 이해할 수 없다. 개미나 꿀벌에 대한 해부학적 연구로는 그들의 사회적 행동을 예측하기 어렵다.

수학에서는 부분의 합이 곧 전체이다. 물리학이나 화학도 그럴 것이다. 그러나 생물학만 해도 그런 등식이 깨진다. 인간 사회로 넘어오면 더욱 그렇다. 경제학이나 사회학의 영역에서 종종 전체는 부분의 합과 다르다. 양의 축적이 질의 도약을 가져온다.

프란치스코 교황은 이를 신앙의 언어로 재해석한다. "전체가 부분보다 더 큽니다. 또한 전체는 그 부분들의 단순한 총합보다도 더 큽니다. 따라서 제한적인 개별 문제들에 너무 매달릴 필요가 없습니다. 우리는 언제나 우리의 전망을 넓혀 우리 모두에게 유익한 더 큰 선을 바라보아야 합니다."(「복음의 기쁨」 235)

오해하기 쉽다. 전체를 위해 개인을 희생해야 한다는 전체주의적 논리가 아니다. 오히려 부분이 그 고유의 특성을 지키면서 전체 속에 통합될 때 공동체의 선익이 커진다. "어떤 사람이 자신의 정체성을 숨기지 않고 자신의 독특한 개성을 보존한 채 공동체에 진심으로 통합될 때에, 언제나 자신의 발전을 위한 새로운 자극을 받게 됩니다. 세계적인 영역이 없어지지도 않고, 개별성이 쓸모없게 고립되지도 않습니다."

교황은 "사목활동과 정치활동도 마찬가지"라고 한다. "(우리의 모델은) 보편 질서 안에서 자신의 고유성을 간직하고 있는 민족들의 집합입니다. 그리고 이는 공동선을 추구하는 사회, 참으로 모든 이를 통합시키는 사회에 사는 사람들의 총합입니다."

전체는 부분보다 크다. 전체는 부분의 총합 그 이상이다. 이는 생명의 신비, 신앙의 신비를 연상시킨다. 또한, 2018년 한반도의 현실에 적용하고 싶은 축복의 주문이기도 하다.

며칠 뒤면 남북정상회담이 열린다. 한반도의 운명을 걸머진 두 지도자가 다시 마주 앉는다. 지난봄의 가슴 떨리던 감동을 기억한다. 청딱따구리와 산솔새가 우짖던 그 산책길과 벤치 회담을 떠올린다. 그때 온 국민의 가슴에 물결쳤던 그 소망과 기도를 되새긴다.

역사의 진전이 쉽게 오진 않는다. 지난 몇 달의 흐름만

봐도 그렇다. 반전과 파격, 흥분과 실망, 충격과 안도의 연속이었다. 박차고 돌아서더니 손을 내밀었다. 판을 깨는 듯하더니 불씨를 살렸다. 여전히 우리는 살얼음판 위를 걷고 있다.

남북의 두 지도자는 응당 알고 있을 것이다. 전체는 부분의 합보다 크다. 남북의 신뢰와 협력이 가져올 상승효과는 민족사의 새 시대를 열어줄 것이다. 항구적 평화 체제 구축으로 공동번영의 새 길을 열어야 한다. 다시 한번 역사의 진전을 염원하는 담대한 기도가 필요하다.

(2018.09.16)

기생과 공생

영화「기생충」의 제목은 반어법이다. 감독은 묻는다. "이들은 기생충 같은 존재일까." 두 가족이 등장한다. 한쪽은 부유하고 다른 쪽은 가난하다. 영화는 질문을 던진다. "부자와 빈자는 숙주와 기생충의 관계일까." 감독은 넌지시 화두를 건넨다. "기생과 공생은 다른 것일까."

생물학적으로 기생과 공생은 구분된다. 일방적으로 이득을 취하면 기생, 서로 이익을 주고받으면 공생이다. 그런데 생명 현상의 복잡성은 늘 인간의 분류나 기준을 따르지 않는다. 기생과 공생을 그처럼 쉽게 구분할 수는 없다. 서로에게 미치는 영향을 이익 또는 손해로 간단히 가늠하기 어렵다. 학자에 따라서는 기생을 공생에 넣기도 한다.

기생 또는 공생은 자연계에 흔한 현상이다. 기생충만 기생하지는 않는다. 바이러스나 세균 같은 미생물도 다른 생명체 속에서 살아간다. 고목에 붙어사는 곰팡이나 버섯류도 있다. 식물과 동물도 서로 생존과 번식을 의존한다.

인간의 몸은 대략 30조 개 이상의 인체 세포로 이뤄져 있다. 그보다 훨씬 많은 수의 미생물이 우리 몸 안에 산다고 한다. 이쯤이면 기생과 공생의 경계가 허물어진다. 미생물을 모두 제거하면 인간의 몸도 죽고 말 것이다.

과학은 생명의 탄생과 진화조차도 공생의 결과로 본다. 서로 다른 원핵생물이 만나 품으면서 진핵생물이 탄생했다. 세포내공생설이다. '설'이긴 하지만 정설로 통한다. 거의 모든 생명체의 세포에 들어있는 미토콘드리아가 강력한 증거가 된다.

홀로 생존할 수 없다는 의미에서 모든 생명체는 기생이고 공생이다. 일방적으로 의존하는 것 같아도 얽히고설킨 생태계 안에서 물고 물린다. 모든 생명은 지구에 기생한다고 볼 수 있다. 그런 의미에서 인간도 기생 생물이다.

무엇이 기생이고 무엇이 공생인가. 생명의 본질 앞에서 그 구분은 의미를 잃는다. 생명은 서로에게 기생하고 서로와 함께 공생한다. 좁게 보면 기생 같아도 크게 보면 공생이다. 숙주도 어딘가에 기생하고 기생충도 또 다른 숙주가 된다. 숙주라고 우월하지 않고 기생이라고 열등하지 않다. 먹이사슬의 위쪽으로 갈수록 아래쪽에 의존한다. 인간은 그 의존의 정점에 있다.

영화는 묻는다. 인간 사회에 기생충 같은 존재가 있을까. 가난하고 약한 이들은 사회의 기생충일까. 부자에게 들러붙어 피를 빨고 양분을 훔치는 존재일까. 더불어 묻는다. 부자와 빈자를 선악으로 가를 수 있을까. 강자는 흔히 불법과 편법을 넘나들고 약자는 늘 정의로울까.

영화는 그처럼 단순한 시각을 거부한다. 가난한 아버지는 말한다. "아들아, 나는 네가 자랑스럽다." 아들이 받는다. "아버지, 저는 이것을 범죄라고 생각하지 않아요."

벼랑 끝에 선 사람들이 묻는다. 무엇이 범죄이고 무엇이 정의인가. 반지하와 쪽방과 고시원의 삶이 묻는다. 도대체 어느 쪽이 기생충인가. 움켜쥔 삶인가, 빈손의 삶인가. 독점한 쪽인가, 빼앗긴 쪽인가. 우리는 머뭇거린다. 사실 정답은 모호하다. 자연계가 들려주는 답변을 인간 사회에 그대로 적용하기도 어렵다. 다만 우리가 선호하는 답은 있다. 기생은 없다. 함께 가야 할 이웃이 있을 뿐이다.

프란치스코 교황은 지구를 일컬어 '공동의 집'이라 표현했다. 모든 생명이 그 집에 기생하며 함께 산다. 창조주의 은총 앞에서 어느 생명체도 독점적 권리를 주장할 수 없다.

인간 사회에서 독존은 없다. 공존이 있을 뿐이다. 부자든 빈자든 사회구조에 기대어 산다. 강자든 약자든 서로를 필요로 한다. 우리는 서로에게 빌붙고 서로와 더불어 살아간다. 세상은 잘나고 못난 사람들이 어우러진 따뜻한 공동체여야 한다. 공생이고 상생이고 공존이다.

(2019.06.23)

때로는 위악이 선보다 아름답다

평판은 평가와 판단이다. 우리는 평판 속에 살아간다. 평판을 하고 평판을 듣는다. 세상은 평판을 중시한다. 평판이 승진을 결정하고 출세를 보장한다. 평판은 종종 능력보다 중요하다.

기업의 성패도 평판에 흔들린다. 성장에 날개를 달아주기도 하고 구렁으로 메다꽂기도 한다. 전문기관들이 평판을 조사하고 평판지수를 개발한다. 그들은 조언한다. 평판을 관리하고 평판을 경영하라.

정치는 평판 싸움이다. 선거는 평판으로 희비가 엇갈린다. 진실보다 소문, 사실보다 인식, 내용보다 구호, 실체보다 홍보가 중요하다. 정당마다 디지털 평판에 매달린다.

댓글 부대를 동원한다. 검색어를 조작한다. 가짜 뉴스를 흘린다. 엉터리 평판이 춤을 춘다.

평판의 시대다. 평판이 돈이고 기회다. 부귀와 영달, 권력과 명예가 평판에 좌우된다. 때로는 패가망신의 씨도 뿌린다. 평판은 내가 주도할 수 없으니 뿌리치기도 어렵다.

평판은 근거가 모호하다. 내 판단이라 생각하지만 실은 세상이 전해준 평판이다. 나는 그를 본 적도 없고 잘 알지도 못한다. 그래도 누군가를 좋아하고 싫어한다. 어떤 이를 존경하고 어떤 이를 경멸한다. 대부분 피상적 인식이다. 미디어가 전해준 허상인 경우가 많다.

평판은 돈과 같다. 전혀 없으면 궁색해진다. 그러나 돈을 좇는 삶은 불행하다. 돈의 노예가 되어 정작 소중한 가치를 잃어버린다. 평판도 마찬가지다. 평판에 연연할수록 내면은 허물어진다. 평판에 휘둘리면 목표도 방향도 잃어버린다.

평판에 지배당할 때 불행이 싹튼다. 세인의 칭송과 찬사가 그를 망친다. 대중은 우상을 원하고 우상을 만든다. 평범한 사람을 영웅으로 치켜세운다. 조금 돋보인 사람을 시대의 예언자로 떠받든다. 현실을 갈아엎고 새 하늘과 새

땅을 열어줄 구세주로 모신다. 환호와 갈채 속에 꽃다발을 바친다.

보라. 여기 한평생 올곧게 살아온 지식인이 있다. 지성의 전당에서 고고한 목소리로 세상을 질타했다. 법과 정의를 외쳤고 윤리와 도덕을 일깨웠다. 때 묻지 않은 언어로 권력과 현실을 비판할 때 대중은 열광했다. 진보와 혁신의 표상, 시대의 양심으로 통했다.

보라. 여기 또 한 분의 불행한 공직자가 있다. 강단을 떨치고 현실 정치에 뛰어들어 곧바로 권부의 핵심으로 향했다. 검증의 무대에 오르자 모든 것이 무너졌다. 반칙 없는 사회, 특권 없는 세상을 외쳤던 그의 언행은 놀림감이 됐다. 편법과 탈법, 부정과 비리로 수사 대상이 됐다.

놀랍게도 두 분이 한 분이다. 어제의 날카로운 지식인이 오늘의 저 안쓰러운 공직자다. 어디서부터 잘못된 것인가. 그가 위선자였던가. 아니면 세상의 평판이 허술했던가. 그는 대중이 만든 우상인가. 세상을 농락한 선동가인가.

평판은 실재보다 강력하다. 평판이 에워싸면 실상은 보이지 않는다. 평판에 갇힌 사람은 좀처럼 헤어나지 못한다. 대중의 환호는 마약과 같아서 점차 중독에 빠져든다.

스스로 실제와 평판을 구분하지 못한다. 자신을 평판에 맞추고 그것을 진실로 믿는다. 꼬리가 몸통을 흔든다. 평판이 행동과 의식을 지배한다.

과장된 평판이 삶을 망친다. 고귀한 인품마저 수렁에 빠트린다. 이중인격을 만들고 가면의 삶으로 끌어간다. 그러므로 벗이여, 평판을 경계하라. 감당할 수 없는 평판이 찾아올 때 차라리 도망쳐라. 존경과 흠모의 자리를 고사하라. 기대에 반하는 행동이 평판을 허무나니, 어진 벗이여, 때로는 위악이 선보다 아름답다.

(2019.06.23)

말은 끝내 침묵으로 귀향한다. 말은 침묵에서 솟아나 울림을 낳은 뒤 다시 침묵으로 잦아든다. 울림은 짧고 침묵은 길다. 여운은 태고의 고요 속에 잠긴다. 우주의 대침묵 앞에 말과 글은 부끄럽다. 글을 마치고 펜을 놓는다. 이젠 침묵의 시간이다.

말과 침묵

발행일 | 2024년 4월 5일
저 자 | 김소일
디자인 | 한정연
펴낸이 | 한건희
펴낸곳 | 주식회사 부크크
출판사등록 | 2014.07.15.(제2014-16호)
주소 | 서울특별시 금천구 가산디지털1로 119 SK트윈타워 A동 305호
전화 | 1670-8316
이메일 | info@bookk.co.kr
ISBN | 979-11-410-7782-2

www.bookk.co.kr